LAYLA DEMAY
ET LAURE WATRIN

Illustrations de Sophie Bouxom

le New York des Pintades

Guide des bonnes adresses de New York pour pintades voyageuses

Nouvelle édition 2010

Éditions Jacob-Duvernet

Remerciements

Merci à Caroline, Lyn, Mona, M. L., Nancy et Tracy pour leur regard affûté. Merci à Luc, Pauline, Claire et Louis de nous offrir cette deuxième aventure. Merci à Anna pour son aide précieuse dans la mise à jour. Un grand merci à toutes les pintades qui nous ont demandé d'écrire ce guide. Enfin, gratitude éternelle aux New-Yorkais !

Table des matières

Introduction

Si vous savez ce qu'est le Tui-Na, à quoi ressemble le cri de la pintade new-yorkaise quand elle croise une congénère, quel est le cocktail favori à Manhattan (non, ce n'est pas le Manhattan !), le nom du pédiatre *hot* de la ville, ce qu'est le Rabbit Habit (ce n'est pas une espèce en voie de disparition), qui est Pale Male, ou encore quelles sont les 35 *rules* du *dating*, alors, c'est peut-être que *Les Pintades à New York* vous sont tombées entre les mains.

Nous nous sommes remises au travail, cette fois-ci, pour vous livrer nos endroits préférés. Un guide, donc. Mais un guide de pintades. Darwin en aurait les bras qui tombent. Les pintades sont devenues migratrices. Elles prennent volontiers l'avion pour un week-end à New York. Dans notre guide, vous ne trouverez pas l'historique de Central Park, ni comment faire la queue à l'Empire State Building (cela dit, feignez la grossesse avec un coussin sous votre t-shirt, cela vous épargnera 2 heures d'attente !). Il vous conduira dans notre New York, et aussi celui de nos copains. Vous y trouverez des adresses branchées, insolites, *girlies* (mais que les hommes ne se sentent pas exclus, les établissements que nous recommandons ne pratiquent pas de *gender policy*). Les derniers hôtels à la mode, les restaurants où être vu, les bars qui servent les meilleurs cocktails, les boutiques de *local designers* qui montent et *the best sex in town*...

New York est sans doute l'une des villes du monde qui bougent le plus. Ne dit-on pas *a New York minute* ? Si vous voulez faire comme les New-Yorkais, *keep up*. Ici, on a à peine le temps de finir son *dim sum*, que Mario Batali a ouvert un nouveau restaurant.

Bien sûr, il y a aussi les lieux indémodables, les *staples* de la ville, des figures familières comme Bergdorf, Rao's, Katz's, The Carlyle, ou encore Barney Greengrass.

On espère que ce guide fera de vous des *savvy New Yorkers**. Et surtout qu'il vous fera aimer cette ville autant que nous.

Enjoy !

Layla Demay et Laure Watrin

---

* Des New-Yorkais avisés.

le New York des Pintades
Uptown

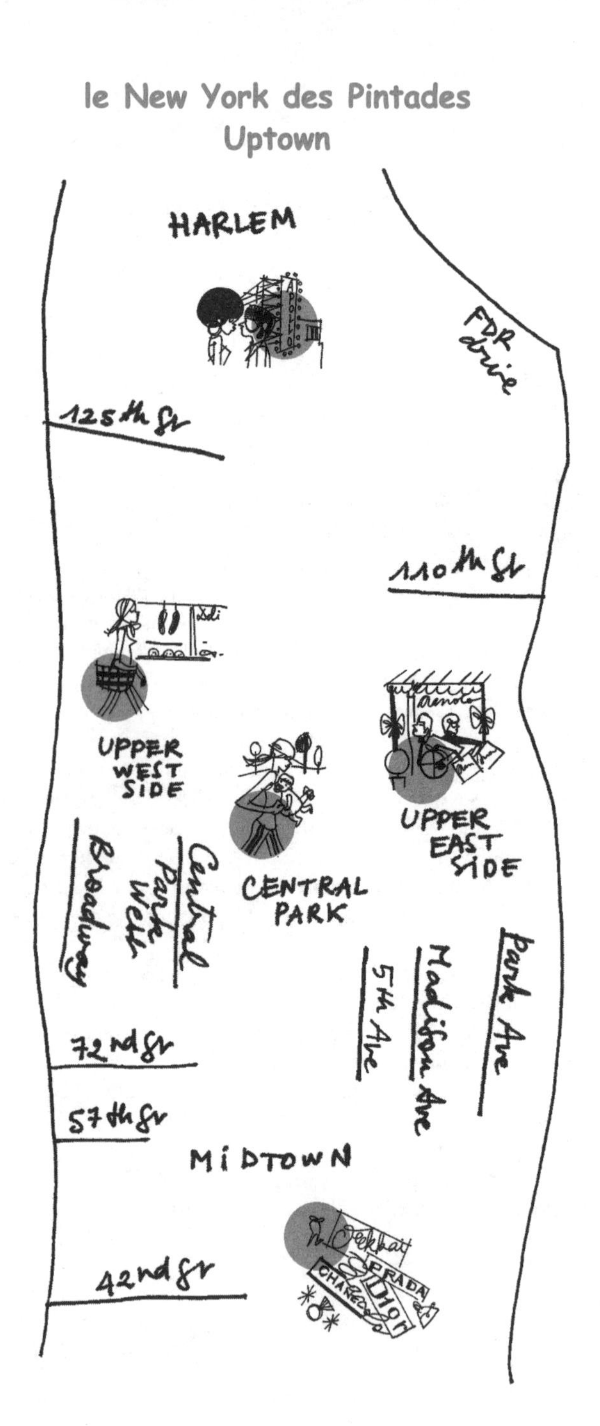

le New York des Pintades
Downtown

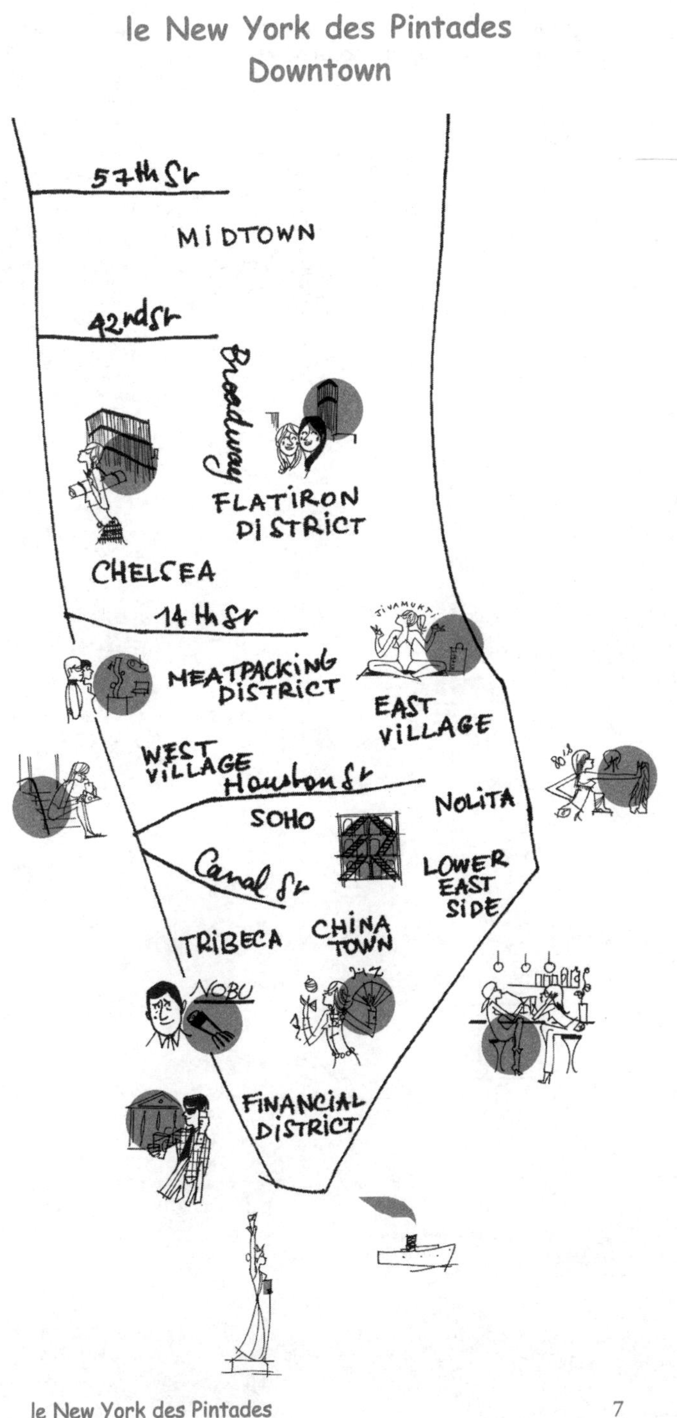

Ces trois plumes signalent nos établissements « coup de cœur ».

Le nid

Nos adresses pour dormir

Où se poser pour dormir ? Avec plus de 70 000 chambres d'hôtel, ce n'est pas le choix qui manque à New York. À 250 $ la nuit en moyenne, la question serait plutôt : où dormir sans se ruiner ? Bien sûr, il y a les YMCA, l'auberge de jeunesse de l'Upper West Side, ou l'option de traverser l'Hudson River pour coucher dans le New Jersey. Si vous recherchez une formule plus riante ou plus glamour pour rêver aux anges, voici nos adresses préférées, de la pension sans prétention à l'établissement grand luxe. N'oubliez pas de profiter des prix de basse saison, des *packages*, et des tarifs parfois moins chers en semaine que le week-end.

$: moins de 250 $
$$: de 250 à 350 $
$$$: de 350 à 500 $
$$$$: plus de 500 $

Les prix s'entendent pour une chambre double. Il faut toujours ajouter au prix indiqué par un hôtel la taxe locale de 13,25 % ainsi qu'un forfait journalier de 2 à 4 $. Et sachez bien sûr que les hôtels ajustent leurs prix en fonction de la fréquentation. Nous indiquons les prix officiellement publiés, mais ces tarifs peuvent tripler selon la saison.

$

West Village

LARCHMONT HOTEL
27 W 11th St. (entre 5th et 6th Ave.) ☎ 212 989 9333
www.larchmonthotel.com
Le *deal* avec Larchmont Hotel, c'est un hôtel convenable dans Greenwich Village. Deux salles de bains minuscules pour sept chambres, la moquette est élimée et poussiéreuse. L'hôtel a désespérément besoin d'un petit coup de fraîcheur. Mais le quartier est superbe. C'est raisonnablement propre, il y a l'air conditionné, la télévision et le téléphone dans toutes les chambres. Si vous tenez à tout prix à être dans le Village…

Chelsea

CHELSEA LODGE
318 W 20th St. (entre 8th et 9th Ave.) ☎ 212 243 4499
www.chelsealodge.com
Deux *brownstones* sur une rue arborée de Chelsea. Une déco fleurant bon l'Americana. Au programme, une chambre, un lit, une douche, un bureau, une armoire. Toilettes sur le palier. En d'autres temps, on appelait ça une cellule de moine. À New York, *circa today*, on appelle ça un petit hôtel charmant. Le service est minimum : ménage, et basta. Le staff est très sympa et si vous avez besoin d'aide, ils sont là. L'avantage, c'est le prix, tout doux (encore une fois, selon les standards de New York), et c'est idéalement situé.

Union Square/Flatiron/Gramercy

THE GERSHWIN HOTEL
7 E 27th St. (entre Madison et 5th Ave.) ☎ 212 545 8000
www.gershwinhotel.com
Un établissement *funky* pour une clientèle jeune. Vous ne pouvez pas rater sa façade qui crache des flammes (ou des larmes ?) géantes en fibre de verre. Ancienne auberge de jeunesse, le Gershwin est devenu un *budget-hotel*, dont l'immense avantage est d'être situé dans le Flatiron District, un quartier central qui bouge. Comme les anciens propriétaires étaient des copains d'Andy Warhol, les

couloirs regorgent de Pop Art. On y croise beaucoup de mannequins en herbe et des peintres qui, grâce au programme *Artists in residence*, sont hébergés gratuitement.

HOTEL 17
225 E 17th St. (entre 2nd et 3rd Ave.) ☎ 212 475 2845
www.hotel17ny.com

Dans une rue arborée, à quelques encablures de l'East Village et de Union Square, Hotel 17 est une auberge idéale pour passer la nuit à New York quand on ne peut pas se payer un palace. La déco est agréable, l'hôtel a été refait en 2003. Toutes les chambres ont télévision, air conditionné et téléphone. C'est confortable, propre, et même charmant. La seule chose qui manque, et c'est un problème de taille, c'est une salle de bains privative. Il faut en partager deux avec les occupants de 9 autres chambres. Mais en toute franchise, elles étaient impeccables quand on a inspecté l'hôtel, qui ce jour-là était presque complet. La meilleure formule, c'est la chambre triple, à 150-180 $ selon la saison. Sachez aussi que Woody Allen y a filmé une scène de *Manhattan Murder Mystery*. Ça ne rendra pas le lit plus confortable, mais, bon, voilà, on vous le dit quand même.

Midtown

HOTEL QT
125 W 45th St. (entre 6th et 7th Ave.)
☎ 212 354 2323 www.hotelqt.com

Une petite révolution dans l'hôtellerie new-yorkaise. QT est l'hôtel design et pas cher que tout le monde attendait mais dont personne n'osait rêver. Ici, tout est neuf. Les salles de bains avec douche sont petites, mais propres et claires. Les draps blancs sont doux. Les matelas sont fermes. En entrant dans le lobby, vous trouverez un bar qui donne sur une piscine, et plus haut, un sauna. Pas de room service, ni de minibar dans la chambre. Juste un réfrigérateur que vous pouvez remplir vous-même. Et si vous avez faim, vous n'avez qu'à commander dans l'un des nombreux restaurants alentour. On avoue, on n'est pas fans du coin, mais Times Square est sans doute le quartier le plus central de la ville. Attention, les prix ont tendance à fluctuer à la hausse.

Pod Hotel
230 E 51th St. (entre 2nd et 3rd Ave.)
☎ 212 355 0300
www.thepodhotel.com
C'est là que vivent les petits pois. Le *pod*, en anglais, c'est une cosse, une capsule, une gousse. Pour conserver l'image, on aurait pu dire boîte de sardines. Vous avez saisi le concept. Ici, c'est petit riquiqui, mais entièrement et récemment refait (donc propre), dans un style architectural que l'on pourrait qualifier à la louche de "design". Meubles Florence Knoll, lampes George Nelson et murs en pin lambrissés dans le lobby. Les chambres quant à elles sont inspirées des cabines de train. Attendez-vous à trouver des lits superposés, un minuscule lavabo en inox et une salle de bain communale (grande et propre lors de notre visite). Certaines chambres ont un lit double et une salle de bain privée.
Le prix annoncé : à partir de 99 $. C'est à peu près sûr que vous ne trouverez jamais ce tarif disponible. Mais même à 170 $, ça reste une bonne affaire pour un petit pois qui cherche son *pod*.

Harlem

Hostelling International
891 Amsterdam Ave. (angle 103th St.)
☎ 212 932 2300 www.hinewyork.org
Si votre budget logement se limite à 40 $ par nuit, voilà où il faut aller. Hostelling International est une auberge de jeunesse typique. Mais s'il faut en choisir une, c'est celle-là. Les dortoirs (de 4, 6, 8, 10 ou 12 lits) sont propres et les matelas sont relativement confortables. Les salles de bains sont également propres. Ce qui rend cette auberge de jeunesse particulièrement attrayante, ce sont ses parties communes. Une grande salle de lecture, une dizaine d'ordinateurs (payants) mis à la disposition des résidents, WiFi gratuit dans tout le bâtiment, une immense cuisine toute neuve avec de gigantesques réfrigérateurs, plusieurs lave-vaisselles, des fours et plaques de cuisson, des machines à café, des grille-pains, etc. Il y a aussi une salle de télévision et un grand jardin. Le bâtiment, classé, est superbe et le quartier est le nouveau quartier qui monte, juste à côté de la cathédrale de St John the Divine et de Columbia University.

Harlem Flophouse
242 W 123rd St. (entre Adam Clayton Powell Blvd et Frederick Douglas Blvd) ☎ 212 662 0678 www.harlemflophouse.com
Dans une rue bordée de *brownstones*, au cœur de Harlem, Harlem Flophouse est une ravissante auberge, un Bed & Breakfast charmant

(qui fait plus Bed que Breakfast – le propriétaire n'a pas de licence pour servir à manger, donc pas de petit-déjeuner), avec salon au rez-de-chaussée et 4 chambres réparties sur les deux étages supérieurs. Chaque salle de bains sert 2 chambres. La maison a été entièrement rénovée et René, le propriétaire, s'est donné un mal fou pour restaurer les éléments historiques de la maison : cheminées, parquet d'origine, moulures et meubles victoriens. Le résultat est très réussi. Les chambres sont vraiment spacieuses et bourrées de charme. Le métro est tout à côté et le quartier est calme. Et à l'heure où nous imprimons, il vous en coûtera entre 140 et 175 $ par nuit. Dans cette gamme d'hôtels, vous ne trouverez pas meilleur tarif à Manhattan.

Adresses multiples

AFFORDABLE NEW YORK CITY
Diverses adresses ☎ 212 533 4001
www.AffordableNewYorkCity.com
En goguette avec des copines pour trois jours ou bien en mission de travail pour trois mois, et à la recherche de la *true New York experience*, appelez Affordable New York City. L'agence loue des appartements (du studio au 5 pièces avec terrasse) pour de courtes durées (séjour minimum de 3 jours). Le prix n'inclut pas le ménage quotidien. C'est vrai, il vous faudra faire votre lit vous-même, mais le temps de votre séjour, vous aurez une adresse à New York. Et ça, ça vaut bien des petits sacrifices.

$$

West Village

ABINGDON GUEST HOUSE
13 8th Ave. (entre Jane et 12th St.) ☎ 212 243 5384
www.abingdonguesthouse.com
Le plaisir de loger dans une maison du West Village commence là. D'abord, il faut l'adresse, car aucun signe ne prévient que le petit *coffee shop* du rez-de-chaussée cache un hôtel. Les chambres sont toutes décorées avec des lits anciens (parfois à baldaquins), plusieurs chambres ont des cheminées, certaines ont accès à un jardin ; toutes ont leur salle de bains privée. Les services sont minimums, mais quel besoin de room service quand on peut profiter de ce que le West Village a à offrir. L'accès WiFi à Internet est gratuit et chaque chambre a sa propre ligne de téléphone.

INCENTRA VILLAGE HOUSE
32 8th Ave. (entre Jane et W12th St.) ☎ 212 206 0007
www.iloveinns.com
Une adresse champêtre dans le Village. Les deux *townhouses* qui abritent l'hôtel font penser à des maisons de poupées. Jeff, le patron, loue 11 jolies chambres et d'un bon rapport qualité/prix, surtout pour les célibataires. Pas de petit-déjeuner prévu, mais la plupart des chambres ont une kitchenette. Certaines donnent sur une ravissante petite cour fleurie aux beaux jours.

Upper West Side

COUNTRY INN THE CITY
270 W 77th St. (entre West End Ave. et Broadway)
☎ 212 580 4183 www.countryinnthecity.com
Voilà une étonnante retraite bucolique, romantique et pas hors de prix pour vous reposer après avoir fait chauffer la Carte Bleue au royaume du consumérisme. À condition d'accepter le règlement (interdiction de fumer, pas d'enfants de moins de 12 ans, réserver pour un minimum de trois nuits, payer en liquide ou en travelers checks), vous serez sous le charme de cette petite maison de l'Upper West Side qui abrite quatre studios raffinés. Une ambiance d'autant plus *homey* qu'ils sont pourvus d'une petite cuisine bien équipée.

HUDSON
366 W 58th St. (entre 8th et 9th Ave.) ☎ 212 555 6000
www.hudsonhotel.com
Pour 200 $ (un tarif somme toute raisonnable à New York), vous pouvez avoir une chambre microscopique dans un hôtel *hip* ! Petit bonus, la déco est signée Starck. Gros bonus : vous profiterez des magnifiques espaces communs, pour taper dans une boule de billard ou disputer une partie de backgammon au Library Bar, boire un verre au toujours *trendy* Hudson Bar, ou manger un morceau à Hudson Cafeteria. Même si vous n'êtes pas client, ne vous en privez pas.

ON THE AVE
2178 Broadway (angle 77th St.) ☎ 212 362 1100
www.ontheave-nyc.com
C'est vrai que la déco est un peu facile et qu'un sofa en velours rouge dans un lobby minimaliste ne suffit pas à faire un *boutique hotel*, mais il faut reconnaître que On The Ave ne se prend pas au sérieux, ni dans son attitude, ni dans ses prix (contrairement à ses petits camarades de la chaîne W Hotels). C'est propre, confortable et moderne.

L'hôtel est à deux pas de Central Park, proche du Beacon Theater et de l'épicerie fine Zaabar. Les suites du dernier étage offrent des vues superbes et sont parfaites pour des familles.

Upper East Side

BENTLEY HOTEL
500 E 62nd St. (entre York Ave. et FDR Drive) ☎ 212 644 6000
🖱 www.nychotels.com/bentley.html
Oui, le quartier est excentré et sans âme, mais la vue, extraordinaire, sur l'East River et le Queensboro Bridge, justifie de marcher un peu plus. Les chambres sont spacieuses et confortables (déco contemporaine passe-partout), et les suites parmi les moins chères de la ville. Une bonne *value*, comme les quatre autres hôtels du même groupe d'ailleurs (www.nychotels.com).

LES LOBBIES DES HÔTELS

On ne sait pas pour vous, mais nous, on adore les ambiances des lobbies des hôtels new-yorkais, surtout quand ils sont chics ou à la mode, ou les deux. C'est en général un bon poste d'observation sociologique et une bonne solution de repli quand on est dans un quartier – comme Midtown – qui n'offre pas grand-chose de sympa pour prendre un café dans la journée, ou simplement faire une pause au chaud (ou au frais selon la saison). Parmi les lobbies que nous aimons beaucoup :

The Algonquin Hotel : Le lobby lambrissé du plus vieil hôtel de Manhattan est l'endroit parfait pour s'enfoncer dans un fauteuil en cuir et se mettre sur *off*, loin du tumulte extérieur (59 W 44th St., entre 5th et 6th Ave. ☎ 212 840 6800).
The Mansfield : Ce lobby est un vrai secret à bien garder. Quand vous entrez, sur votre gauche, vous avez une bibliothèque chaleureuse, avec cheminée et grandes baies vitrées. Les fauteuils club vous tendent les bras. Le super plan, c'est la machine à café ; express et cappuccino, en libre service et gratuite. Au fond de la pièce, vous trouverez une *phone room*, une petite pièce où vous pouvez vous isoler pour passer vos coups de fil tranquille (12 W 44th St., entre 5th et 6th Ave. ☎ 212 277 8700).
Mandarin Oriental : Des pans entiers de baies vitrées, une vue imprenable sur Central Park et Midtown, le Lobby Lounge est idéal pour boire un chocolat chaud au coucher du soleil ou un *drink* une fois la nuit tombée (*cf.* p. 22).

●●●

●●● SoHo Grand Hotel : Surnommé « *SoHo's living room* » tellement les *hipsters* se bousculent sur les canapés du lounge qui donne sur la réception (*cf.* p. 17).
The Maritime Hotel : Avec sa cheminée au gaz et son accès Internet WiFi gratuit, le lobby de cet hôtel de Chelsea est un lieu convivial pour envoyer un email aux copines qui sont restées en France (*cf.* p. 18).

Le nid

$$$

SoHo

SoHo Grand Hotel
310 West Broadway (entre Grand et Canal St.) ☎ 212 965 3000
www.sohogrand.com
On vient ici pour prendre un bain de biouti-foule dans une ambiance *industrial chic* (l'architecture s'inspire des immeubles en fonte et des lofts si caractéristiques de SoHo). Les chambres pourraient être un peu plus spacieuses et mieux isolées, mais l'emplacement et moult petites attentions séduiront les noceurs (hi-fi Bose, iPods, lecteurs de DVD, téléviseurs à écran plat, snacks de Citarella, sans oublier les cachets contre la gueule de bois). *By the way*, c'est l'hôtel idéal pour ceux qui ne veulent pas voyager sans leur chien : le proprio est le P.-D.G. d'un empire de la croquette. On déroule le tapis rouge aux animaux domestiques.

Meatpacking District

Soho House
29-35 9th Ave. (angle 13th St.) ☎ 212 627 9800
www.sohohouseny.com/thehouse.php
Le Meatpacking District a beau être *soo last year*, Soho House reste un club privé très prisé. C'est le petit frère du club éponyme de Londres, fréquenté par les gens des médias et du cinéma. Comme il fait aussi hôtel, en y prenant une chambre, le plébéien peut avoir accès à toutes les commodités : le restaurant, le bar, la bibliothèque, le spa, la salle de projection, et surtout la sublime piscine sur le toit (les fans de *Sex and the City* ne manqueront pas de la reconnaître).

Chelsea

THE MARITIME HOTEL
88 9th Ave. (entre 16th et 17th St) ☎ 212 243 3888
www.themaritimehotel.com
Installé dans l'ancien bâtiment du syndicat de la marine, avec ses fenêtres en forme de hublots, le Maritime Hotel est une récente incarnation de la nouvelle vague de *boutique hotels* du Meatpacking District voisin. Les chambres ressemblent à des cabines de bateau avec parquet et lambris de teck. L'hôtel est très couru des mannequins, *fashion-conscious*, etc. Le restaurant japonais Matsuri est à voir, d'abord parce qu'on y mange bien, ensuite pour la déco. Un hôtel à recommander aux *glamour girls*.

Union square/Flatiron/Gramercy

INN AT IRVING
56 Irving Pl. (entre 17th et 18th St.)
☎ 212 533 4600
www.innatirving.com
On s'attend presque à croiser le fantôme d'Edith Wharton, un verre de sherry ou une tasse de thé à la main. D'ailleurs, l'une des douze chambres porte son nom. Tout rappelle ici le New York du XIXe siècle : la bâtisse, une *townhouse* sur deux étages ; la décoration, délicieuse, avec lits à baldaquins, cheminées (décoratives), parquets et meubles anciens ; et le quartier, Gramercy Park. Une retraite discrète que les stars aiment fréquenter quand elles en ont assez de l'agitation des hôtels *design*.

Midtown

LIBRARY HOTEL
299 Madison Ave. (angle 41st St.) ☎ 212 983 4500
www.libraryhotel.com
Au rayon (très galvaudé) des *boutique hotels*, le Library fait figure d'élève modèle : des espaces communs conviviaux (café et viennoiseries à volonté), des chambres confortables quoique petites, le tout pas trop cher. À un bloc de la New York Public Library et non loin de la Morgan Library, l'établissement ne peut que séduire les amoureux de la lecture puisqu'il renferme 6 000 livres. Les 60 chambres sont numérotées selon le système décimal de Dewey, utilisé depuis plus d'un siècle pour classer les œuvres dans les bibliothèques. La chambre 700.001 est par exemple dédiée à l'architecture, la

1100.005 au paranormal. Dans la 1100.006, celle de l'amour, on découvre un ouvrage intitulé *Your wife is not your mama*. À faire lire d'urgence à son Jules.

Upper East Side

ÉLYSÉE HOTEL
60 E 54th St. (entre Madison et Park Ave.) ☎ 212 753 1066
www.elyseehotel.com
Ce fut le pied-à-terre d'Ava Gardner et de Tennessee Williams. On aime beaucoup son luxe Vieille Europe et son romantisme presque provincial. Appréciez le *wine and cheese* gracieusement servi en fin d'après-midi dans la Club Room, ainsi que les petites attentions qui font le confort de la maison, en particulier l'accès haut débit Internet WiFi gratuit. Ne manquez surtout pas d'aller boire un *drink* au Monkey Bar, haut lieu de rencontres des stars dans les années 40.

INTERNET À LA RESCOUSSE

Avant de réserver un hôtel, n'oubliez pas de comparer un peu les prix sur Internet. On est certaines que vous en êtes déjà les experts, mais on vous fait quand même un petit rappel : les prix des chambres varient énormément selon la saison, le mode de réservation, etc. Sur www.priceline.com, vous choisissez votre quartier (attention, si vous choisissez Downtown, vous risquez de vous retrouver au Ritz-Carlton Battery Park, situé tout en bas de la ville, pas désagréable, mais totalement excentré), votre catégorie d'hôtel, puis vous donnez le prix que vous êtes prêt à payer. Ensuite, le système vous dit si votre offre a été acceptée. C'est non négociable, non modifiable, non remboursable, alors soyez sûr de votre coup. Si ça marche, vous pouvez vous retrouver dans un hôtel 4 étoiles pour 110 $.
Sur www.expedia.com, www.hotels.com, www.orbitz.com, vous trouverez des chambres à prix négociés. La plupart du temps, ça vaut vraiment la peine. Mais appelez tout de même l'hôtel directement, car parfois, c'est encore là que vous trouverez les meilleurs tarifs.

HOMEEXCHANGE AKA TROCMAISON

Vous le savez, le budget logement est le poste le plus élevé quand vous voyagez à New York. Même l'auberge de jeunesse la plus miteuse vous délestera d'une centaine de dollars pour un week-end de trois nuits. Misez sur votre studio parisien ou votre maison de campagne en Sologne. Échangez, swapez avec les New-Yorkais. Nous avons testé la formule, toujours avec grand succès. N'hésitez pas à choisir un appartement à Brooklyn, dans le Queens, ou encore dans le quartier de Columbia. Quoique moins centraux, ces quartiers sont très agréables à vivre, et les transports en commun fonctionnent suffisamment bien pour qu'on se permette d'être légèrement excentré. Si vous avez un doute, envoyez-nous un email lespintades@lespintades.com. On se fera un plaisir de vous donner plus d'infos sur le quartier où se trouve l'appartement en question.

www.homeexchange.com
www.trocmaison.fr

$$$$

SoHo

THE MERCER
147 Mercer St. (entre W Houston et Prince St.)
☎ 212 966 6060 www.mercerhotel.com

Un condensé de charme et d'élégance. The Mercer regroupe à peu près tout ce qui fait qu'un hôtel est réussi : la déco aux lignes modernes épurées, les matériaux organiques, le service haut de gamme, les chambres aménagées comme des lofts de SoHo. Tout ça en fait l'auberge attitrée des *famous and beautiful.* Si vous en avez les moyens, ne cherchez pas plus loin, c'est le meilleur hôtel de la ville.

SIXTY THOMPSON
60 Thompson St. (entre Spring et Broome St.) ☎ 212 431 0400
www.thompsonhotels.com

Sixty Thompson est l'hôtel des stars en virée à New York. Russell Crowe (quand il n'est pas en train de maltraiter le concierge du Mercer), Paris Hilton *and Co.*, en ont fait leur pied-à-terre lorsqu'ils viennent dans la grosse pomme. Le penthouse est l'incarnation du luxe new-yorkais, 300 mètres carrés décorés par Thomas O'Brien, avec terrasses et vues panoramiques sur Manhattan. Être client de l'hôtel vous donnera le droit d'accéder au bar en plein air A60, réservé autrement aux VIP. Vous pourrez donc espérer faire la fête avec Nicole Kidman et P. Diddy.

Union square/Flatiron/Gramercy

GRAMERCY PARK HOTEL
2 Lexington Avenue (Angle Gramercy Park North)
☎ 212 920 3300 www.gramercyparkhotel.com
Nouveau venu dans la galaxie Ian Schrager (l'ancien propriétaire du Royalton), le Gramercy Park Hotel est le dernier hôtel *hip* à avoir ouvert ses portes. Fini la déco minimaliste et aseptisée. Ici, le style est colonial espagnol. Julian Schnabel est responsable de la remise en forme, super réussie, du lieu. Ambiance sexy et glamour. La collection d'art (répartie entre le lobby, la terrasse et le lounge) est impressionnante : Warhol, Basquiat, Damien Hirst, et bien sûr Schnabel lui-même. Dans le lobby, cheminée monumentale, lustre vénitien monumental, liste de *a-list celebrities* monumentale (lors de notre dernière visite, c'était Cameron Diaz, Ashton Kushner et Demi Moore qui prenaient un verre au Rose Bar). La terrasse couverte est l'endroit de rêve pour lire votre journal, prendre votre petit-déjeuner au calme, ou boire un thé dans l'après-midi. L'endroit est totalement exclusif, réservé aux clients de l'hôtel et aux amis de Ian. Si vous n'êtes ni l'un ni l'autre, rabattez-vous sur le Rose Bar. Les cocktails coûtent ridiculement cher (20 $), mais au taux de change actuel, vous pouvez vous permettre cette folie ! Oh et *by the way*, les chambres sont très confortables.

Midtown

FOUR SEASONS HOTEL NEW YORK
57 E 57th St. (entre Madison et Park Ave.)
☎ 212 758 5700
www.fourseasons.com/newyorkfs/index.html
Une déco signée I. M. Pei, des chambres géantes pour les standards de New York (plus de 50 mètres carrés), un service de concierge pour qui rien n'est impossible, des baignoires qui se remplissent en 60 secondes (vraiment !), et pour certaines chambres, des vues absolument imprenables. Si vous avez besoin de séjourner dans le quartier de Midtown et que le prix n'est pas un problème, n'hésitez pas.

Mandarin Oriental
80 Columbus Circle (angle 60th St.) ☎ 212 805 8800
www.mandarinoriental.com

Perchées dans les hauteurs du Time Warner Center, du 35e au 54e étage, les chambres du Mandarin Oriental conjuguent sérénité orientale et faste moderne. Une touche années 40 par-ci, des meubles en cerisier asiatique par-là, du marbre espagnol et du granit italien, avec, en prime, tous les gadgets possibles et imaginables (télévision à écran plat sur laquelle on peut brancher son appareil photo, sa caméra et son ordinateur, Internet à haut débit WiFi, prise de courant dans le coffre-fort pour recharger son ordinateur portable en toute sécurité). On ne vous parle pas du spa, l'un des meilleurs (et des plus ruineux) de la ville. Ni de la piscine (25 mètres), l'une des plus extraordinaires (et des plus exclusives) qu'on ait jamais vues, entourée de baies vitrées donnant sur l'Hudson River. Évidemment, tout ce confort a un prix...

Upper East Side

The Carlyle
35 E 76th St. (angle Madison Ave.)
☎ 212 744 1600 www.thecarlyle.com

Dans la catégorie des hôtels de luxe, le Carlyle fait partie de nos préférés pour son ambiance « blondes hitchkockiennes ». Tout est resté dans son jus, à commencer par les liftiers en livrée dans les ascenseurs. Morceau de l'histoire mondaine de New York, l'établissement accueille les grands de ce monde depuis les années 30. Les chambres sont classiques, élégantes, avec tout le confort moderne requis. Deux petits bijoux : la Gallery à l'heure du thé et le Bemelmans Bar à l'heure du scotch.

Notes : Le nid

La becquée

Nos adresses pour bien manger

Sélectionner une centaine de restaurants dans la ville des *foodies* n'est pas tâche facile. Le choix est tel qu'on a dû faire des coupes franches. New York est en ébullition gastronomique. Profitez-en pour goûter toutes les cuisines du monde. Ne nous en voulez pas si un endroit a fermé, ou si la nouvelle auberge dont tout le monde parle n'est pas dans ce guide. Tout change tellement vite. Attention, beaucoup ne servent pas à l'heure du déjeuner : vérifiez avant de traverser la ville. À savoir aussi, pas mal d'endroits n'acceptent pas les cartes de crédit. Sinon, comme on dit en anglais : *« Bon appétit ! »*

La catégorie est fonction du prix moyen d'un plat principal

$: moins de 10 $

$$: de 11 à 15 $

$$$: de 16 à 20 $

$$$$: de 21 à 30 $

$$$$$: plus de 31 $

Les restaurants

Battery Park

GIGINO AT WAGNER PARK $$$

20 Battery Pl. (angle West St.) ☎ 212 528 2228

À la pointe sud de Battery Park City et donc de Manhattan. On y vient avant tout pour l'incroyable vue sur la baie de New York. Ne venez pas l'hiver, la salle intérieure est glauquissime. Magique aux beaux jours, quand la terrasse est ouverte : les enfants font des galipettes juste devant, sur la petite pelouse de Wagner Park. On regarde passer les bateaux au large de la Statue de la Liberté en sirotant un verre de Pino Grigio. Et en plus, les pâtes sont bonnes.

TriBeCa

BUBBY'S $$$

120 Hudson St. (angle N Moore St.) ☎ 212 219 0666

Bubby's est le rendez-vous des familles de TriBeCa. Endroit parfait pour le brunch avec les enfants. Le resto sert les traditionnels *American fares* : œufs benedict, omelettes, bacon et hamburgers. L'endroit appartient entre autres à Bobby De Niro qui a ses bureaux juste en face et qui a investi dans pas mal d'établissements du quartier, car la revitalisation de TriBeCa depuis le 11 septembre lui tient à cœur.

BREAD TRIBECA $$$ - $$$$

301Church St. (angle Walker St.) ☎ 212 334 0200

Si vous êtes en virée shopping à TriBeCa et que la faim commence à tenailler votre estomac, allez chez Bread. L'endroit est clair et calme, le service est rapide, la cuisine est savoureuse, les produits sont frais et essentiellement bios. C'est un très bon repaire pour le déjeuner. Le menu est clairement inspiré par l'Italie, avec minestrone, paninis, saumon aux chanterelles, pâtes et salade de betteraves au parmesan. Vous trouverez également un bon choix de vins essentiellement transalpins.

CENTRICO $$$

211 West Broadway (angle Franklin St.)

☎ 212 431 0700

Ne vous attendez pas à trouver des tacos, des enchiladas ou des quesadillas au menu. Centrico est un restaurant mexicain *with a twist.* Les ingrédients sont légers, épicés, parfumés et très frais. Les crevettes sont servies avec leurs têtes (une rareté à New York) et le loup de mer est relevé d'une sauce au citron vert. Les cocktails sont aussi tout à fait sympathiques.

MAI HOUSE $$$$
186 Franklin St. (entre Hudson St. & Greenwich St.)
☎ 212 431 0606
Alors que toutes les cuisines asiatiques sont bien représentées à New York, la cuisine vietnamienne est le parent pauvre, histoire oblige. Ça vient quelque peu de changer avec Mai House, le dernier-né de l'empire de Drew Nieporent, (propriétaire entre autres de Montrachet, Nobu, TriBeCa Grill, et Centrico) qu'il a ouvert avec Michael Bao Huynh. Mai House est une version *upscale* de la cuisine des rives du Mékong. Le menu propose les

PAUSE SUCRÉE

Il laboratorio del gelato
95 Orchard St. (entre Broome et Delancey St.) ☎ 212 343 9922
Une adresse d'été qui est tout aussi satisfaisante en hiver car c'est exquis. Il laboratorio del gelato utilise les ingrédients les plus frais. Au total, 100 parfums différents de glaces et de sorbets. Choisissez *black sesame*, sirop d'érable et noix, ou encore le sorbet au romarin. Du pur bonheur par un jour de grosse chaleur.

Billy's Bakery
184 9th Ave. (entre 21st et 22nd St.) ☎ 212 647 9956
Les *cupcakes* à New York, c'est un peu comme le verre à Murano. Si Magnolia Bakery est la référence pour les touristes du Midwest qui n'hésitent pas à faire la queue depuis qu'ils ont vu la pâtisserie du West Village dans des épisodes de *Sex and the City*, nous préférons Billy's Bakery, créé par un transfuge de Magnolia et qui manie aussi bien la crème au beurre *(angel's food)* et au chocolat. Une folie calorique. *Oh well*, tant pis.

The Chocolate Room
86 5th Ave. Brooklyn (entre Warren St. et St. Marks Pl), Brooklyn
☎ 718 783 2900
Une balade dans Park Slope impose un arrêt dans ce temple cacaoté. Il y a les incontournables – *layer cake, white-chocolate-macadamia cookies, brownies, cupcakes* et *pudding* – sans lesquels on ne serait pas aux States. Et puis d'autres douceurs euphorisantes comme la fondue au chocolat et les crêpes. Idéal pour une pause goûter ou pour prendre un verre de vin accompagné d'un dessert en soirée.

spécialités traditionnelles du pays, nems légers et croustillants, *lollipops* de cuisses de grenouilles, *lacxa*. Pour les critères de New York, c'est nouveau et exotique de manger de la sauce *nuoc mam*, mais pour nous, Français qui, dans notre ignorance, appelons restau chinois tout ce qui est asiat', y compris les restaus vietnamiens, Mai House ressemble au chinois du coin, une déco branchée en plus. Certains plats cependant ne s'adaptent pas à une version *upscale*. C'est le cas du *pho*, la soupe traditionnelle vietnamienne, vraiment faite pour être savourée dans un boui-boui. Le *pho* de Mai House est bien trop aseptisé pour être à la hauteur. Rabattez-vous sur les nouilles sautées et les *long beans*, délicieusement épicés.

NOBU $$$$
105 Hudson St. (angle Franklin St.) ☎ 212 219 0500
C'est Nobu Matsuhisa qui a convaincu les New-Yorkais qu'une tranche de poisson cru pouvait être élevée au rang de haute cuisine. Il a été le premier Japonais à devenir *celebrity chef* avec une cuisine innovante. Et même s'il a ouvert des antennes un peu partout dans le monde qui servent toutes le même menu, New York est le Nobu qu'on préfère. On recommande le *sashimi new style* et le *black cod*. Il est sans doute plus facile d'avoir une table à Nobu 57 (1 200 m^2 de surface à Midtown). Mais franchement, qui voudrait manger dans une usine à sushis, fût-elle conduite par Nobu ? Soyez puriste, allez au restaurant de TriBeCa.

Et aussi…
BLAUE GANS $$$$
139 Duane St. (près de West Broadway) ☎ 212 571 8880

Chinatown

NHA TRANG $
87 Baxter St. (entre Walker et White St.) ☎ 212 233 5948
Pour celles que les saveurs de la cuisine chinoise déroutent et qui préfèrent le raffinement vietnamien. Fermez les yeux sur le carrelage blanc et les néons sinistres. Notre dernière bombance nous a coûté 14 $ par pintade, boissons et *tip* inclus.

PEKING DUCK HOUSE $$
28 Mott St. (entre Mosco et Pell St.) ☎ 212 227 3177
On salive en pensant au canard laqué, la spécialité de la maison. Le garçon vient vous faire admirer la bête une fois rôtie, avant de la découper et de la servir. Un délice. Dites que vous souhaitez emporter la carcasse chez vous, comme ça les serveurs ne seront pas

tentés de laisser un peu trop de chair sur les os pour se taper la cloche après le service !

Et aussi…

HSF $
46 Bowery (entre Canal et Bayard St.)
☎ 212 374 1319

JING FONG $$
20 Elizabeth St., 2nd fl (près de Canal St.)
☎ 212 964 5256

THE ORIGINAL CHINATOWN
ICE CREAM FACTORY $
65 Bayard St. (près de Mott St.)
☎ 212 608 4170

Lower East Side

CLINTON ST. BAKING CO. & RESTAURANT $$
4 Clinton St. (entre Houston et Stanton St.) ☎ 646 602 6263
Des *pancakes* moelleux comme un petit morceau de nuage (du moins l'idée qu'on s'en fait) et un service d'une lenteur à tester la patience d'un moine bouddhiste tibétain. C'est la recette de Clinton St. Baking Co. Évitez d'y aller le week-end, c'est tout simplement impossible d'avoir une table dans le minuscule établissement. Une fois que votre commande a été prise (comptez une demi-heure d'attente avant que ce miracle ne se produise), relaxez-vous et préparez-vous à très bien manger.

WD-50 $$$$
50 Clinton St. (entre Rivington et Stanton St.) ☎ 212 477 2900
Wylie Dufresne, un des rares *celebrity chefs* à être dans sa cuisine à l'heure du dîner, réussit à mettre New York en appétit avec des recettes telles que de la langue de bœuf, du tartare de gibier ou encore des raviolis aux carottes pour le dessert. La cuisine est super inventive. L'hiver dernier, il servait du carpaccio d'huîtres ! Le protégé de Jean-Georges (il était son sous-chef, aujourd'hui il est son associé) utilise des ingrédients de saison et pioche libéralement dans les techniques culinaires du monde entier. Le menu dégustation (élu numéro 1 par le magazine *New York*) est paraît-il un *must-choose*.

FRIED DUMPLING $
106 Mosco St. entre Mott & Mulberry St. ☎ 212 693 1060
Dans cette minuscule échoppe chinoise, rien ne coûte plus de 1$. Quatre brioches chinoises fourrées à la viande : 1$, cinq *dumplings*

frits : 1 $. C'est juste à côté de Milk & Honey. Après une nuit de libations dans notre *speak easy* préféré, engloutissez un lot de brioches pour absorber l'excès d'alcool.

Et aussi…

SCHILLER'S LIQUOR BAR $$
131 Rivington St. (angle Norfolk St.) ☎ 212 260 4555

'INOTECA $$
98 Rivington St. (angle Ludlow St.)
☎ 212 614 0473

CAKE SHOP $
152 Ludlow St. (entre Stanton St. et Rivington St.)
☎ 212 253 0036

LES CHAÎNES DE RESTAURANTS

Vous allez les voir à tous les coins de rues, et vous serez tentés d'y manger, parce que c'est pratique et que ce n'est pas possible de manger sain, équilibré, bio, et trendy tous les jours.
Voici notre guide pour profiter des chaînes de restaurants tout en évitant l'empoisonnement et l'attaque coronarienne.

Green light
Starbucks
Chipotle
New York Burger Co.
Hale & Hearty Soup
PAX
Le Pain Quotidien
Cosi

Orange light
Wendy's
Subway
Au bon pain
Prêt à manger
Hot & Crusty
Bravo Pizza
Nathan's
Quizno's
Ranch 1
Blimpie

Red light
Roy Rogers
Dunkin' Doughnut
Krispy Creme
Mc Donald's
KFC
Burger King
Taco Bell

BYE BYE LES HUÎTRES

Mireille Giuliano écrit dans son dernier bouquin *French Women for all Seasons* (éd. Knopf) que la France produit 200 variétés d'huîtres différentes. Pas sûre d'avoir eu le plaisir de toutes les goûter, mais les États-Unis ne sont pas en reste. Avec près de 20 000 km de littoral, on trouve des huîtres pour tous les goûts. Il fut un temps où les quelques restaurants new-yorkais qui se risquaient à servir des huîtres rinçaient les mollusques sous l'eau du robinet avant de les servir ! *Thank God*, la nouvelle génération *foodie* est passée par là, et l'on trouve maintenant huître à son palet, comme *stilletto* à son pied.

Comme en France, la principale distinction vient de la région où les huîtres sont produites. Les *East Coast* sont salées (*briny*). Elles ont un goût marin prononcé (les Américains trouvent d'ailleurs ce goût souvent trop marqué), et un arrière-goût presque métallique. Elles ont généralement une texture qui ressemble à leur goût, légère, fraîche, et charnue. Ce sont les variétés qui ressemblent le plus à nos huîtres françaises, Marennes, Belons, etc. Les *West Coast* sont très différentes. Elles sont généralement laiteuses. À l'exception des minuscules (et succulentes) Kumamoto, elles sont beaucoup plus grosses que leurs cousines de la Côte Est. Les Américains les préfèrent car ils trouvent leur goût moins fort. Par exemple, Blue Water Grill, le restaurant de Union Square, les classe généralement dans la catégorie des huîtres pour débutants (oui, Blue Water Grill classe ses huîtres selon les catégories pour débutants et pour confirmés. Autant dire que si vous mangez des oursins crus, vous êtes considérés *hard core* !). Généralement, les huîtres de la Côte Ouest sont celles qui donnent des haut-le-cœur à ceux qui ont appris à manger les leurs en Europe, justement parce qu'elles sont très crémeuses/laiteuses.

À New York, le concept de la douzaine n'existe pas. On commande ses huîtres à l'unité. Tout le fun, c'est justement de panacher. Rien de tel que de déguster un mixte de Beau Soleil, Kumamoto, Malpeque et Cotuit. Parmi les différences culturelles auxquelles on a du mal à se faire, la mignonnette de ketchup aromatisé au raifort et l'absence de pain de seigle. À part ça, comme on dit ici, *enjoy* !

Nos préférées : Côte Est : Blue Point, Malpeque, Pemaquid, Cotuit, Wellfleet, Moonstone et Beau Soleil. Côte Ouest : Kumamoto, Skookum, Fanny Bay, Penn Cove, et Pearl Point.

Nos restaus favoris pour les fringales ostréophiles :

Oyster Bar (dans la gare de Grand Central Terminal), les voûtes carrelées sont superbes. La meilleure sélection ●●●

●●● de New York et une fraîcheur parfaite. Grand Central Terminal 89 E. 42nd St. (angle Vanderbilt Ave.) ☎ 212 490 6650. **Blue Water Grill** : bonne sélection, différente chaque jour, selon les arrivages. 31 Union Square West, (angle 16th St.) ☎ 212 675 9500. **BLT Fish** : très bonne sélection. Et ils servent du muscadet au verre. 21 W. 17th St. (entre 5th & 6th Ave.). ☎ 212 691 8888. Quand une envie soudaine de se retrouver dans le Maine se fait sentir, que l'hélico n'est pas disponible et que 5 heures de route ne sont pas vraiment une option... : **Mary's Fish Camp** 64 Charles St. (Angle W. 4th St.) ☎ 646 486 2185. **Shaffer City Oyster Bar and Grill** : parfait pour un *quick oyster fix* au bar. Moins connu que les autres, vous aurez plus de chance d'avoir une place sans attendre 45 mn, sans faire de compromis sur la qualité. 5 W 21st St. (entre 5th et 6th Aves.) ☎ 212 255 9827.

SoHo

BALTHAZAR $$$$
80 Spring St. (entre Broadway et Crosby St.)
☎ 212 965 1785

Balthazar est l'endroit parfait pour bruncher le dimanche matin. C'est l'endroit parfait pour dîner entre amis. C'est aussi parfait pour une première *date*, et c'est également parfait pour un *quick lunch* avec *baby* et les *in-laws*. Balthazar a beau avoir ouvert en 1997, ce fer de lance du mini-empire de Keith Mc Nally n'en finit pas d'être à la mode, de bon goût et de bonne qualité. Tous les superlatifs lui vont : les fruits de mer sont impeccables (superbe sélection d'huîtres), les œufs en meurette sont exquis, les escargots sont létaux. Et pour une fois, la déco façon vieille brasserie parisienne ne fait pas toc (avant d'être restaurateur, Mc Nally était décorateur de ciné). Un parcours sans faute.

KELLEY AND PING $$
127 Greene St. (entre Houston et Prince St.)
☎ 212 228 1212

Spring rolls, Pad Thai, Japanese curry, Korean wrap, noodle soups, dumplings : cette cafétéria – loft – *noodle shop* (et qui fait aussi épicerie) propose un florilège de toutes les cuisines asiatiques. On aime particulièrement le Bo Bun, une salade vietnamienne au vermicelle et bœuf grillé. Bien pour un déjeuner rapide, en compagnie des shoppeuses et des employés du quartier. La bonne nouvelle c'est qu'il y a également un Kelley and Ping dans le quartier de Murray Hill, 340 3rd Ave. (angle 25th St.).

Kittichai $$$$

60 Thompson St. (entre Broome et Spring St.) ☎ 212 219 2000

Le resto thaï le plus fun de la ville. Aux commandes, Ian Chalermkittichai qui cuisine des plats aux saveurs intenses et parfumées. Ceux qui ont la chance de décrocher une réservation peuvent déguster les crevettes servies dans une sauce piquante ou encore la salade de bœuf aux légumes. Ne passez pas à côté du dessert au tapioca, délicieuse concoction à la noix de coco.

Mercer Kitchen $$$$

99 Prince St. (angle Mercer St.) ☎ 212 966 5454

Le restaurant de l'hôtel Mercer, opéré par Jean-Georges Vongerichten (Jean Georges, Spice Market, Perry Street…) sert de la cuisine typiquement new-yorkaise : un peu française, un peu asiatique, un peu américaine, savant mélange fusion, à la mode Jean-Georges. Logé dans les sous-sols de l'hôtel décoré par Christian Liaigre, le restaurant était évidemment beaucoup plus innovant et original quand il a ouvert, mais ça reste un endroit *fashionable* de Soho.

Olive's $

120 Prince St. (entre Wooster et Greene St.)

☎ 212 941 0111

Un p'tit creux entre deux essayages dans les boutiques de SoHo ? Venez ici pour une soupe, un (très bon) sandwich du jour, ou une salade à emporter. Une toute petite banquette en vitrine permet de se poser cinq minutes en matant les passants.

Et aussi…

The Yoghurt Place II $

71 Sullivan St. (entre Spring St. et Broome St.)

☎ 212 219 3500

NoHo, NoLIta

Café Gitane $

242 Mott St. (angle Prince St.)

☎ 212 334 9552

Ouvert en 1994, ce café franco-maghrébin est toujours aussi branché. L'ambiance est conviviale. Scénario idéal : vous réussissez à squatter l'une des tables de la minuscule terrasse par un jour de beau temps et vous lisez *Les Pintades à New York* en savourant un p'tit *espresso*. Peut-être qu'avec un peu de bol, David Bowie et Iman seront vos voisins de table, à moins que ce ne soit Björk avec sa fille. C'est comme ça à peu près tous les jours. Ça laisse tout le monde indifférent, et les célébrités ont la paix.

Chinatown Brasserie — $$$

380 Lafayette St. (angle Great Jones St.) ☎ 212 533 7000

Chinatown Brasserie est l'endroit trendy pour manger des très bons *dumplings*, raviolis vapeurs, *pot stickers* et *dim sums*. Le chef, Joe Ng, né à Hong Kong, a peaufiné l'art des *dim sums* pour le bonheur des New-Yorkais. Ne passez pas à côté des *dumplings* au porc et au crabe (demandez au serveur de vous expliquer comment les manger pour ne pas vous brûler !) ou encore ceux aux crevettes et au cresson (*watercress*), délicieux. C'est le parfait endroit pour un déjeuner en famille le week-end ou pour un dîner entre potes. À noter aussi, le canard laqué est très bon.

Hampton Chutney & Co — $$

68 Prince St. (entre Broadway & Lafayette) ☎ 212 226 9996

Le petit boui-boui de SoHo sert des *dosas*, des fines crêpes de riz indiennes fourrées de poulet, de salade ou encore d'épinards et de champignons. Vous y croiserez les étudiantes de NYU de retour de leur cours de yoga, *sticky mat* sous le bras. Commandez un *dosa* pour deux (les portions sont énormes) et choisissez un chutney parfumé. Vos besoins énergétiques seront comblés en trois bouchées. Repartez aussi sec faire du shopping dans le quartier pour brûler l'excès de calories.

Il Buco — $$$$

47 Bond St. (entre Broadway et Lafayette St.) ☎ 212 533 1932

Au commencement, Il Buco était un magasin qui vendait des antiquités et servait des tapas pour divertir ses clients. Et puis, les propriétaires se sont rendu compte qu'ils servaient beaucoup plus de tapas qu'ils ne vendaient de commodes. Maintenant, Il Buco est un très bon restaurant qui vend des meubles anciens. Les plats sont d'inspiration méditerranéenne, beaucoup de poissons, et de fruits de mer. La carte des vins est très italienne. Seul hic : la formule tapas revient un peu cher.

Rice — $

292 Elizabeth St. (entre E. Houston et Bleecker St.)
☎ 212 226 5775

Riz blanc, riz basmati, riz sauvage, riz noir thaïlandais… Au total une dizaine de grains différents, accommodés à toutes les sauces (lait de coco, ratatouille, cacahuète…) et agrémentés de crevettes ou de poulet. Pour 9 $, on est totalement rassasié. Que demande le peuple ?

Et aussi…

CECI-CELA $

55 Spring St. (entre Lafayette et Mulberry St.) ☎ 212 274 9179

LA ESQUINA $$$

114 Kenmare St. (angle Cleveland Pl.)

☎ 646 613 7100

I NEED MY COFFEE FIX

Pour avoir le *buzz*, vous pouvez zapper Starbucks (très bien pour une pause-pipi, pas pour une pause-café). Depuis plus d'un siècle, New York sait faire un bon café grâce, entre autres, aux grand-mères italiennes. Qu'elle soit d'inspiration transalpine – *caffe latte* –, hispanique – *cafe con leche* –, ou française – café au lait –, on peut trouver sa dose de caféine en ville. Voici nos endroits préférés si vous avez besoin d'un petit crème. Et souvenez-vous qu'à New York, un *express* désigne un métro qui ne s'arrête pas à toutes les stations, pas un café serré typique de l'Italie. Ici, on appelle ça un *espresso. Capito ?!*

Joe : 141 Waverly Pl. (entre 6th Ave. et Gay St.) et multiples adresses ☎ 212 924 6750 Vous pourrez y voir l'acteur Philip Seymour Hoffman. Et le café est extra.

Jack's Stir Brew Coffee : 138 W 10th St. (entre Waverly Pl. et Greenwich Ave.) ☎ 212 929 0821

Vous pourrez y voir l'acteur Daniel Day Lewis. Et le café est extra (à vous de choisir quelle est votre star préférée).

Max Caffe : 1262 Amsterdam Ave. (entre 122nd et 123rd St.)

☎ 212 531 1210

Le cappuccino le plus crémeux qu'il nous ait été donné de rencontrer de ce côté-ci du fleuve Pô.

Café Sabarsky : 1048 5th Ave. (angle 86th St.) ☎ 212 288 0665

Un café viennois juste en face de Central Park. À l'intérieur de la Neue Galerie (superbe petit musée dédié à l'Art Nouveau allemand et autrichien). Idéal par un jour de blizzard pour admirer la tempête de neige.

BABBO $$$$
110 Waverly Pl. (entre 6th Ave. et MacDougal St.)
☎ 212 777 0303

En Italien, ça signifie papa. Le restaurant phare de Molto Mario, *aka* Mario Batali, sert une cuisine paternaliste et subtile, avec des plats tels que du fromage de tête, des raviolis à la joue de bœuf et aux truffes, ou encore des sardines crues. Somptueuse liste de vins, notamment de Sardaigne (servis en *quartinos*, des quarts de litre). Une très bonne adresse, qui rivalise avec les meilleurs restaus italiens… d'Italie.

DIFIORE MARQUET $$$
15 E 12th St. (entre 5th Ave. et University Pl.) ☎ 212 229 9313

Marquet est une pâtisserie associée à un petit *coffee shop* aux accents *frenchie*. C'est l'endroit parfait pour un déjeuner rapide et léger. Au menu, croque-monsieur, poulet grillé ou quiche aux légumes. Les soupes changent en fonction de la saison. Le gaspacho est idéal les jours de grosse chaleur. Ne ratez pas les mille-feuilles.

JOE'S PIZZA $
7 Carmine St.(angle Bleecker St.)
☎ 212 366 1182

The true New Yorker way ! Les vrais New-Yorkais, toujours pressés, commandent leur pizza *by the slice*, pour l'avaler en marchant, pliée en deux dans le sens de la longueur. Joe's fait partie des plus célèbres *slice joints* de la ville. Au grand dam des puristes, l'établissement d'origine sur Bleecker a fermé (pour cause de loyer devenu exorbitant), mais une annexe reste ouverte à un bloc de là.

JOHN'S PIZZERIA $
278 Bleecker St. (entre 6th et 7th Ave.)
☎ 212 243 1680

Au diable Naples ! Pour beaucoup de New-Yorkais, la pizza de John's est LA meilleure pizza du monde. Et on ne va pas les contrarier. Pâte fine et croustillante, à la *New York style*. Par pitié, ne la dénaturez pas en la surchargeant de *toppings*. Notre préférée : fromage, tomate et *sausages* (14 $ la *large plain pie* pour deux, voire pour trois).

MARY'S FISH CAMP $$
64 Charles St. (angle 4th St.) ☎ 646 486 2185

Mary's Fish Camp est un morceau de Nouvelle-Angleterre dans le West Village. Le petit restaurant est un *shack* de poissons et de fruits de mer. Si vous devez manger un *lobster roll* (grande spécialité de Nouvelle Angleterre qui consiste en un mélange de chair de homard et de mayonnaise, le tout sur un petit pain rond), c'est là qu'il faut

SMALL IS THE NEW BIG

Parce que New York, ce n'est pas vraiment les États-Unis et qu'ici, on aime se démarquer du reste du pays, il n'est pas question de *super size me*. Bien au contraire, tout comme *white is the new black*, vous serez contents d'apprendre que *small is the new big*. En cuisine tout du moins.

Un vrai raz de marée de la portion réduite déferle dans les assiettes des chefs new-yorkais. Qu'il s'agisse d'*omakase*, de *tapas*, de *mezze* ou encore de *degustation menu*, les chefs en vogue, ou non d'ailleurs, ont abandonné la portion géante si typiquement américaine – donc tellement vulgaire – pour des plats d'une taille lilliputienne qui nous rappellent étrangement la nouvelle cuisine d'il y a 20 ans.

Que ce soit au bar à tapas Boqueria, sous la houlette de Seamus Mullen, avec ses délicieux Cojonudo (littéralement, euh, vous savez, *well*, couilles… en fait ce sont des œufs de caille et du chorizo), ou bien à l'Atelier de Joël superstar Robuchon avec sa machine à fabriquer de la haute-*omakase* (les plats de Robuchon n'ont de japonais que le nom), le plat standard est miniature. Allez, c'est vrai que le velouté d'oursin en gelée de langoustine est une explosion gustative, un peu comme manger une bouchée d'océan, un mets d'une telle complexité qu'on serait tenté d'attribuer des pouvoirs magiques à Joe. Et qu'importe si on a encore faim après le sixième plat. C'est une réflexion triviale. Tout comme on n'achète pas des Louboutin pour marcher, on ne va pas chez Joël Robuchon pour se nourrir.

Vous l'aurez compris, comme disait notre bon Rabelais, qui n'était pas new-yorkais mais qui connaissait une ou deux choses sur la bouffe, ce qui compte, c'est la substantifique moëlle, la saveur pure, le goût renversant, le bouquet ensorcelant, la succulence irrésistible. Choisir, c'est renoncer. Rien de plus agaçant que de voir deux ou trois plats alléchants au menu et les New-Yorkais ne veulent pas faire de compromis. Le vétéran du genre, Il Buco, offre depuis longtemps des petites portions à partager entre potes avec un bon verre de vin. Relooké ethnique, moderne, branché, tendance, et tout ce que vous voudrez de "marketinguement" approprié, dans sa version traditionnelle, on appelle ça le menu dégustation. La formule parait illogique et pourtant écoutez : pourquoi choisir le *porter house for 2* quand on peut manger le même soir le lapin braisé, le confit de flétan, la langouste à la nage et le veau mijoté, le tout *organic* et *locally grown, of course*. Donc, moins égal plus. *Small IS the new big*. CQFD.

Les *small plates* préférées des Pintades :
Degustation Wine & Tasting Bar : 239 E. 5th St. (entre 2nd et 3rd Ave.) ☎ 212 979 1012. **L'Atelier de Joël Robuchon** : 57 E. 57th St. (proche de Park Ave.) ☎ 212 350 6658. **Boqueria** : 53 W. 19th St. (entre 5th et 6th Ave) ☎ 212 255 4160. **Il Buco** : 47 Bond St. (entre Lafayette & Bowery) ☎ 212 533 1932.

aller. On aime particulièrement cet endroit en été, quand la limonade est glacée et les homards sont charnus.

MORANDI $$$

211 Waverly Pl. (angle Charles St.) ☎ 212 627 7575
Le nouveau venu dans la galaxie Mc Nally (Balthazar, Pastis, Pravda, etc.) est italien. La formule est la même que dans ses autres restaurants : une grande brasserie, une déco réussie, un menu simple et bon. Certains protesteront que c'est un peu trop un gimmick, que ça manque d'authenticité et que dans le genre, on trouve bien mieux en Italie. On leur concède ce point. En attendant, de ce côté-ci de l'Atlantique, ça fait partie des restaus sympas.

OTTO ENOTECA PIZZERIA $$

1 Fifth Ave. (angle 8th St.) ☎ 212 995 9559
Quand Mario Batali est aux fourneaux d'un restaurant, c'est toujours une bonne nouvelle. Otto, sa pizzeria familiale, confirme cet adage. Le roi de la cuisine italienne propose de très bonnes pizzas. Essayez celle au *prosciutto* et à la roquette ou encore au fenouil cru et à la poutargue. Solide liste de vins italiens. De quoi se rincer les badigoinces avec délice.

PERRY STREET $$$$

176 Perry St. (angle West St.) ☎ 212 352 1900
Si vous n'avez pas les moyens de vous offrir Jean-Georges (mais que vous avez quand même un peu de moyens…), rabattez-vous sur Perry Street. Le petit frère du restaurant quatre étoiles de Jean-Georges Vongerichten sert une cuisine merveilleusement créative. Ça fusionne en cuisine. Les saveurs du monde se rencontrent dans l'assiette, pour un mariage réussi. Décor minimal cool et ambiance sereine. C'est le cadre parfait pour un dîner romantique.

TARTINE $$

253 W 11th St. (angle W 4th St.) ☎ 212 229 2611
Le West Village sans Tartine ne serait plus vraiment le West Village. Le minuscule restaurant sert des salades, des quiches et du poisson grillé depuis tellement longtemps qu'il fait partie intégrante du

paysage de la 11e rue. Les desserts sont très bons. Et ne vous affolez pas si vous ne trouvez pas de vin sur la carte : c'est la formule *BYOB, Bring your own bottle*. Allez tout simplement au *liquor store* Sea Grape Wine & Spirits (cf. *Bring out the booze*, p. 100) acheter votre bouteille. La serveuse se fera un plaisir de vous l'ouvrir.

WAVERLY INN $$$$

16 Bank St. (Angle Waverly St.). Pas de numéro de téléphone.

Waverly Inn, le vénérable établissement de Bank Street, a subi une petite remise en forme sous la houlette de Graydon Carter, le rédacteur en chef de *Vanity Fair*, qui habite à quelques pas de là. Alors que la majorité des restaus du quartier sont italiens, Waverly Inn joue la carte *comfort food* américaine : les *crab cakes*, plus crabe que cakes, sont servis avec une sauce aïoli, le poulet est élevé par des Amish (il n'est pas venu en buggy pour autant) et servi avec des champignons des bois. Tous les produits sont bio. Le menu est une réussite. La déco rappelle les *inns* de Nouvelle Angleterre, plantes en pot un peu partout, meubles en bois, coussins recouverts de tissu désuet ; et même la Sibérie (la partie du restaurant la plus reculée et la moins désirable pour voir et être vu) est tout à fait sympathique avec sa cheminée et son immense verrière. Si vous voulez une table, patience, il n'est pas possible de faire de réservation. Ça fait partie des snobismes de l'établissement. Tentez votre chance à la porte et soyez prêts à patienter deux heures. En cas de fin de non-recevoir, rabattez-vous sur l'autre *celeb spot* du quartier, Café Cluny.

Et aussi…

LUPA OSTERIA ROMANA $$
170 Thompson St. (entre Bleecker et Houston St.)
☎ 212 982 5089

HEARTH $$$$
403 E 12th St. (angle 1st Ave.)
☎ 646 602 1300

CRUMBS $
Adresses multiples
☎ 212 352 2300
www.crumbsbakeshop.com/

CAFÉ ASEAN $$
117 W. 10th St. (entre Greenwhich Ave. et 6th Ave.)
☎ 212 633 0348

FATTY CRAB $$-$$$
643 Hudson St. (entre Horatio St. et Gansevoort St.)
☎ 212 352 3590

WALLSÉ $$$$
344 W. 11th St. (angle Washington St.)
☎ 212 352 2300

Meatpacking District

PASTIS $$$

9 9th Ave. (angle Little W 12th St.) ☎ 212 929 4844

C'est *hip*, c'est looké. C'est Pastis, le restaurant qui a commencé la folle aventure du Meatpacking District. Le petit frère de Balthazar (voir p. 31), ouvert par monsieur Mc Nally en 1999, est arrivé alors qu'on équarrissait encore les vaches dans les entrepôts voisins. Les mannequins et les bioutifoul vêtus de tenues diversement originales se pressent toujours au bar. C'est toujours aussi dur d'y avoir une table et la raison en est simple : tout est réussi.

Et aussi…

SPICE MARKET $$$

403 W 13th St. (angle 9th Ave.) ☎ 212 675 2322

East Village

BANJARA $$

97 1st Ave. (et 6th St.) ☎ 212 477 5956

L'un de nos indiens favoris, plus soigné, plus surprenant et aussi moins kitsch que ses petits copains de la *Curry Row* comme les New-Yorkais aiment à surnommer 6th Street (surnom en rapport avec le nombre de restaurants indiens au mètre carré bien sûr).

BIRDBATH $

223 1st Ave. (entre 13th St. et 14th St.) ☎ 646 722 6565

L'annexe bio de City Bakery. Tout y est construit de façon écolo. Les livreurs se baladent à tricycle dans les rues de Manhattan. Et les pâtisseries et les muffins sont divins. C'est écologiquement, politiquement et gustativement correct.

CAFÉ MOGADOR $$

101 St. Marks Pl. (entre 1st Ave. et Ave. A) ☎ 212 677 2226

Un Marocain teinté de *Middle East* pour dîner d'un bon couscous, d'un délicieux tagine aux olives et citrons confits ou à la sauce safranée, arrosé de thé à la menthe. Le week-end, la petite terrasse est prise d'assaut par les « djeunes » pour les brunchs (c'est fou cette patience inaccoutumée qu'ont les New-Yorkais à faire la queue pour un restau).

HASAKI $$

210 E 9th St. (entre 3rd et 2nd Ave.) ☎ 212 473 3327

De prime abord, rien ne distingue ce restaurant de ses voisins japonais, nombreux dans le quartier. On y sert des sushis, des sashimis, des tempuras, etc. Mais Hasaki prépare tous ces classiques de la cuisine nippone avec un grand raffinement. Le poisson est magnifiquement frais, les sushis et les makis sont des bouchées de taille parfaite et l'addition est toute douce. *Aligato !*

MOMOFUKU NOODLE BAR ET MOMOFUKU SSÄM BAR

Momofuku Noodle Bar, 171 1st Ave. (angle 11th St.) $$
☎ 212 475 7899
Momofuku Ssäm Bar, 207 2nd Ave. (angle 13th St.) $$$
☎ 212 254 3500

Le phénomène culinaire de ces dernières années ! David Chang, le chef aux manettes de ce petit empire, est le grand méchant loup à l'affût des petits cochons. Il n'en laisse pas une miette. Oreilles, queue, poitrine, joues ou encore cochon entier ! Le tout est préparé à la mode coréenne. Débauche de *kimchi* (condiment coréen), sauces épicées, saveurs volcaniques. L'un des restaurants se spécialise en nouilles, l'autre en sorte de *burrito* asiatique. Les deux sont essentiellement des odes à la cochonnaille. Végétariens s'abstenir. On n'a toujours pas compris le système des heures d'ouverture, ni celui du menu qui change après 10 heures du soir, mais tout ce qu'on peut vous dire c'est que si vous y allez le soir, vous devrez faire la queue et que vous ne serez pas déçus !

PRUNE $$$$

54 E 1st St. (entre 1st et 2nd Ave.) ☎ 212 677 6221

Un resto de nanas (mais les garçons aiment bien venir aussi). Le cadre, intime et chaleureux, donne envie de traîner des heures à la fin du repas. La chef, affairée dans sa minuscule cuisine *open space*, concocte une cuisine inventive de bistrot. Française par sa mère, Gabrielle Hamilton s'amuse à mélanger les genres, en travaillant des produits du marché et en privilégiant la simplicité. Seul bémol (mais de taille car c'est l'un de nos desserts préférés) : les profiteroles, décevantes. Les brunchs, variations autour du Bloody Mary, sont légendaires.

THE ELEPHANT $$$

58 E 1st St. (entre 1st et 2nd Ave.) ☎ 212 505 7739

Quand des Français décident de servir de la cuisine thaïe ! Le résultat est étonnamment réussi. La nourriture est délicieuse, la clientèle *fashionable*, et les serveurs amènes.

YAKITORI TAISHO $

5 St. Marks Pl. (entre 2nd et 3rd Ave.) ☎ 212 228 5086

C'est un trou dans la terre. Les cuistots, derrière leur comptoir, font griller les petites brochettes à tour de bras. Au menu, des trucs qu'on n'a pas l'habitude de voir ici : brochettes de gésiers de poulet, brochettes de tripes. Les classiques poulet et bœuf sont des sans fautes, les *shishito peppers* sont très bonnes. Les *clams* sont succulents. Ambiance japonaise déjantée, avec reggae nippon en musique d'ambiance. Si vous êtes claustrophobe, évitez la salle du fond. Attention, c'est fermé pour le déjeuner.

Et aussi…

CHICKALICIOUS $$
203 E. 10th St (entre 1st Ave. et 2nd Ave.) ☎ 212 995 9511

YAFFA CAFÉ $
97 St. Marks Pl. (entre 1st Ave. et Ave. A) ☎ 212 674 9302

MAMA'S FOOD SHOP $
200 E 3rd St. (entre Ave. A et B) ☎ 212 777 4425

JEWEL BAKO $$$$
239 E. 5th St. (entre 2nd Ave. et 3rd Ave.) ☎ 212 979 1012

LE MIU $$$
107 Ave. A (entre 6th St. et 7th St.) ☎ 212 473 3100

Chelsea

BUDDAHKAN $$$$
75 9th Ave. (angle 16th St.) ☎ 212 989 6699
L'espace est gigantesque et caverneux, la déco est à voir, la cuisine n'est pas mauvaise et c'est une *scene* au sens new-yorkais du terme. Ultra-branchouille, bruyant, plein de jolies filles brindilles, vêtues de caracos à fines bretelles et de robes portefeuille DVF. Parfait pour aller dîner avec vos amis de la tribu *bioutifoul* avant d'aller danser dans un club de Chelsea.

LA BERGAMOTE $
169 9th Ave. (angle 20th St.) ☎ 212 627 9010
Un café, un croissant, une ambiance presque provinciale. La Bergamote est une pâtisserie tenue par un Français. Dans l'esprit purement gaulois, on sert des sandwiches, des quiches et des madeleines. C'est un point de rendez-vous des expatriés qui ont le mal du pays. Si vous êtes en manque de pain au chocolat, un petit voyage par-là réglera le problème.

Et aussi…

COOKSHOP $$$$
156 Tenth Ave. (angle 20th St.) ☎ 212 924 4440

THE RED CAT $$$$
227 Tenth Ave. (près de 23rd St.) ☎ 212 242 1122

TIA POL $$$
205 Tenth Ave. (entre 23rd St. et 24th St.) ☎ 212 675 8805

15 East $$$$
15 E 15th St. (entre 5th Ave. & Union Square West)
☎ 212 647 0015

Pas de gimmick, pas de concept, pas de déco ampoulée. 15 East est simplement un restaurant japonais qui sert du poisson succulent, d'une fraîcheur exemplaire avec un choix merveilleux. Le service est remarquablement attentif et discret. C'est à notre avis le meilleur restaurant japonais de New York.

City Bakery $$
3 W 18th St. (entre 5th et 6th Ave.)
☎ 212 366 1414

C'est dans cette cafétéria loft, rendez-vous de nombreux éditeurs du quartier et refuge des mères de famille en Bugaboo, que l'on vient se réchauffer en hiver autour d'un *hot chocolate* indécemment riche (qui peut s'accompagner de sa bombe atomique calorique : le *marshmallow* maison baignant dedans). Sans oublier sa version estivale, le *cold hot chocolate*. C'est ici que l'on a l'alibi de manger sainement au *salad bar* (courgettes rôties, carottes au cumin, salade de lentilles, saumon à l'unilatéral…) pour mieux craquer sur une portion de *macaroni and cheese*. C'est aussi ici que l'on aime papoter en trempant l'un des meilleurs *chocolate-chip cookies* de la ville dans un *latte*. Bref, un de nos QG, aussi bien pour le déjeuner que pour recharger les accus en 10 minutes.

Craft $$$$
43 E 19th St. (entre Broadway et Park Ave. South) ☎ 212 780 0880

Parmi les meilleures tables de New York. Tom Colicchio, le chef et patron des lieux, met l'accent sur le produit, cuisiné avec une simplicité subtile (et atypique à New York), qui laisse s'épanouir toutes les saveurs. Les cailles comme le *halibut* (le flétan) sont cuits à la perfection, la scarole est savamment braisée, et les navets fondent dans la bouche. Terminez impérativement par l'un de nos deux pêchés mignons : les *doughnuts* ou les sorbets (les meilleurs qu'on ait jamais mangés). À moins d'être deux et de trouver au débotté une place au bar, réservez à l'avance pour le dîner car la salle (chaleureuse et moderne avec ses dominantes cuir et cuivre) ne désemplit pas le soir. L'addition est très salée mais on n'est jamais déçu. L'empire de Tom Colicchio ne cesse de s'agrandir : après une version bistrot, Craftbar (mais on aime nettement moins l'atmosphère depuis qu'il a déménagé sur Broadway), il y a la version snack, 'Wichcraft, avec ses quatre guérites à Bryant Park.

Ennju $
20 E 17th St. (entre 5th Ave. et Broadway)
☎ 646 336 7004
Une de nos cantines pour déjeuner sur le pouce. Commandez un *take-out* de sushis ou de sashimis et allez le manger sur un banc de Union Square. C'est frais et rapide.

TEXAS ON THE HUDSON

D'un seul coup, en moins de deux ans, New York s'est mis aux couleurs texanes. Peut-être est-ce l'influence du président Bush sur la ville. En tout cas, des restaurants de barbecue ont vu le jour aux quatre coins de la ville. Ce qu'on appelle *barbecue*, ici, n'a rien à voir avec nos grillades. Le BBQ implique de faire cuire la viande dans un pit, c'est-à-dire dans une cuve fermée dans laquelle la viande est placée. Elle cuit baignée dans la fumée pendant des heures. Le résultat : une viande qui fond dans la bouche et une saveur fumée très prononcée. Généralement, c'est un *pitmaster* qui est aux commandes. Chaque année, au printemps, ne manquez pas le Big Apple Barbecue, une *extravaganza* dans Madison Square Park, où pendant deux jours, les *pitmasters* viennent de tout le pays, en particulier du Texas et du Kansas, pour rassasier les New-Yorkais de viande grillée et fumée.

Voici les quelques *barbecue joints* qu'on vous recommande. :

Blue Smoke : 116 E. 27th St. (entre Lexington et Madison Ave.) ☎ 212 447 7733. Commandez absolument les *beef ribs* assaisonnés simplement de sel et de poivre. Filez ensuite écouter du jazz au sous sol.

Hill Country : 30 W. 26th St. (entre 5th et 6th Ave.) ☎ 212 255 4544. Ici, on commande au poids et on mange sur une feuille en papier. Le *moist beef brisket* est le meilleur morceau, gras et fondant à souhait. Attention, ne perdez pas la fiche qu'on vous donne à l'entrée. Et si vous n'aimez pas la bière, apportez votre propre bouteille de vin. Leur sélection est infâme. Ou rabattez-vous sur les Margaritas !

Dinosaur Bar-B-Que : 646 W. 131st St. (entre Broadway & 12th Ave.) ☎ 212 694 1777. Situé aux confins de Harlem et de Morningside Heights, c'est un restaurant gigantesque, mais c'est l'un des meilleurs de la ville, en particulier pour les travers de porc.

RUB BBQ : 208 W. 23rd St. (entre 7th & 8th Ave.) ☎ 212 524 4300. Très bon, parfait pour le déjeuner.

Gramercy Tavern $$$$
42 E 20th St. (entre Broadway et Park Ave. South)
☎ 212 477 0777

Un cadre élégant sans être prétentieux, une liste de vins fournie, une sélection de fromages à donner le tournis (ou bien peut-être est-ce le vin qui donne le tournis ? Allez savoir !). Et surtout une carte de grande qualité à des prix imbattables. Gramercy Tavern est une formule gagnante depuis 11 ans. Un grill au feu de bois sur lequel presque tous les plats sont préparés, une cuisine américaine sophistiquée et saisonnière.
Ne réservez pas dans la salle principale, venez plutôt manger au bar ou à la Tavern Room. À notre avis, c'est l'un des meilleurs restaus de New York.

Les Halles $$$
411 Park Ave. South (entre 28th et 29th St.) ☎ 212 679 4111

Quand on est nostalgique de la France ou qu'on a une envie impérieuse de viande rouge fondante, on court aux Halles et on commande une côte de bœuf pour deux (elle n'est pas sur la carte à midi, mais si vous la demandez gentiment…). Que du bonheur ! L'ambiance de cette brasserie française ne vous dépaysera peut-être pas, mais franchement, les *T-Bones* n'arrivent pas à la cheville de nos bonnes vieilles côtes de bœuf. Les frites sont parmi les meilleures de la ville. Le tout arrosé d'un Saint Joseph…

Republic $
37 Union Sq. West (entre 16th et 17th St.) ☎ 212 627 7172

Republic est une cantine de nouilles : sautées, en salade, ou servies en soupes, dans des concoctions infusées de citronnelle ou parfumées au curry, les nouilles sont à toutes les sauces. Asseyez-vous à l'une des tables communales pour un déjeuner ou un dîner bon marché dans le quartier de Union Square.

Rickshaw Dumpling Bar $
61 W 23rd St. (entre 5th et 6th Ave.) ☎ 212 924 9220

Un fast-food qui sert de la *good-food* dans une rue à peu près désertique en matière de restaurants décents. C'est le pari réussi de Rickshaw Dumpling Bar, ouvert par la chef Anita Lo (son autre restau, dans le West Village, s'appelle Annisa). Au menu, des *dumplings*, les raviolis chinois. Vous choisissez le mode de cuisson, *fried* ou *steamed*, vous pouvez demander vos raviolis dans une soupe ou sur une salade. Commandez aussi une portion d'*edamame* et un thé vert, sans oublier les raviolis au chocolat pour conclure le repas (si vous avez encore faim). C'est sain, frais, équilibré, pas trop cher, rapide. Une vraie alternative au Mc Do.

ASTORIA, L'ANTIGHETTO CULINAIRE

Envie de manger grec, italien, égyptien, marocain, brésilien, mexicain ou encore colombien dans une gargote pas chérote ? Sautez dans le *N Train* (incroyable vue sur Manhattan depuis le métro aérien), et descendez à Astoria, le quartier de Queens où cohabitent le plus grand nombre de nationalités. L'antighetto par excellence. Terre d'asile des immigrés helléniques au début du XXe siècle, ce quartier populaire accueille aujourd'hui des dizaines de communautés, mais aussi beaucoup d'artistes séduits par des ateliers et des lofts aux loyers abordables. Les *chowhounders** adorent sillonner ses rues à la recherche d'une authentique guinguette fréquentée par les locaux, où la nourriture sera fraîche, goûteuse, exotique et bon marché.

Promenez-vous sur Broadway et 30th Avenue, les artères commerçantes. Mangez des cailles marinées, des poivrons farcis, du *taramasalata* et du *tzatziki* dans une cantine grecque comme **S'Agapo** (34-21 34th Ave., angle 35th St. ☎ 718 626 0303), ou des *mezze* dans le patio à ciel ouvert et tout en mosaïque de **Cavó** (42-18 31st Ave., entre 42nd et 43rd St. ☎ 718 721 1001). Achetez des pâtisseries orientales chez **Laziza of New York** (2578 Steinway St., entre 28th et 25th St. ☎ 718 777 7676). Allez boire un thé à la menthe et fumer le narguilé dans le café égyptien d'à côté, carrément anachronique avec ses fauteuils défoncés, son plafond jauni par le tabac, ses petits vieux qui jouent aux dominos ou qui s'assoupissent devant la télé qui diffuse à jets continus des séries B arabes d'espionnage aux héroïnes à la crinière flamboyante, pulpeuses malgré leurs quelques heures de vol.

Si vous avez du temps, poussez jusqu'à Jackson Heights ou Flushing, parmi les plus grandes communautés sud-asiatiques du monde. Mangez par exemple à **Golden Szechuan**, un délicieux petit restaurant chinois planqué dans un *basement* (133-47 Roosevelt Ave., entre Prince St. et College Point Blvd., Flushing ☎ 718 762 2664).

* Ce surnom signifie littéralement « chasseurs de mangeaille » ; on le donne aux gastronomes qui passent leur vie à tester des restaurants qui ne sont pas dans les guides.

ON NE DIT PAS BIO, ON DIT ORGANIC

On dit aussi *local, reduced carbon footprint.* Les New-Yorkais veulent être écolos jusque dans leur assiette (ils sont déjà des recycleurs experts). Plein d'options pour les partisans d'un monde plus propre. D'abord, le **marché paysan** d'Union Square où vous trouverez tous les produits locaux, tomates succulentes, raisins des vignobles de la vallée de l'Hudson (au goût très particulier), *ramps* (poireaux sauvages) des sous-bois d'Upstate New York, champignons des forêts voisines, poissons de Montauk ou encore œufs frais du New Jersey (des « vrais » marrons, pas des blancs calibrés comme au *deli* du coin).

Au rayon supermarché, la chaîne **Whole Food** est un phénomène impressionnant pour les Françaises habituées à leur petit marchand bio. Ici, ce sont des kilomètres de produits écologiquement corrects, fruits, légumes, viandes et poissons locaux censés être cultivés ou élevés sans pesticides ni engrais. Le *salad bar* est très bon. À retenir pour le déjeuner.

Plusieurs adresses dans la ville.

Pure Food and Wine est un restaurant qui sert exclusivement de la nourriture crue, végétalienne (comprenez d'origine exclusivement végétale), incarnant le mouvement *raw food.* C'est un peu déroutant, mais c'est une expérience intéressante. On vous avoue ne pas être des fans, mais c'est une adresse qui se mentionne. 54 Irving Pl., (entre 17th & 18th St.) ☎ 212 477 1010

The Pump Energy Food est une chaîne de fast-food bio. Ici, pas de sucres ajoutés, ni de sirops de maïs, pas de graisses transgéniques non plus (cela dit, elles ont été bannies par Michael Bloomberg, le maire de la ville). Par contre, les *muffins* sont enrichis en protéines, les salades sont allégées en sel et les choix végétariens sont nombreux.

Plusieurs adresses.

Birdbath (cf. critique page 39).

TABLA $$$$

11 Madison Ave. (angle 25th St.) ☎ 212 889 0667

On ne va pas à Tabla pour l'ambiance typiquement indienne – on y croise surtout des *yuppies waspy* – mais pour la cuisine exquise. Laissez-vous tenter par l'agneau aux épices. C'est un autre avant-poste de Danny Meyer qui confirme encore une fois que sa cuisine sait se tenir.

La becquée

Tarallucci e Vino $$$

15 E. 18th St. (entre 5th Ave et Broadway) ☎ 212 228 5400

Difficile de dire si Tarallucci est un bar à vin qui sert du café ou un *coffee shop* qui sert du vin. En tous cas, le restaurant fait les deux, et de façon très réussie. Tarallucci est idéal pour un cappuccino avec une brioche saupoudrée de sucre glace, ou une salade à l'heure du déjeuner. Et le soir venu, on peut boire un verre de vin au bar. L'ambiance est totalement *casual.* La déco n'est pas tarabiscotée : ciment, bois. Les plats sont simples, salade de calamars, *pasta, chicken soup* (*scrippelle 'mbusse*). Tout est frais et délicieux. Et les pâtisseries sont dignes de ce nom. Pour ceux qui sont prêts à faire des infidélités à City Bakery, Tarallucci est l'alternative italiana.

The Coffee Shop $$

29 Union Square West (angle16th St.) ☎ 212 243 7969

Phénomène rare dans cette ville, les années passent et on continue de se bousculer dans ce *diner* à la mode brésilienne. Les hommes adorent venir car les serveuses ne sont décidément pas choisies que pour leurs aptitudes professionnelles. Nous, on aime bien avaler un morceau rapide au bar, prendre un brunch le dimanche avec les enfants (à condition d'arriver tôt pour ne pas poireauter) ou simplement boire un café en terrasse. Bon plan : à partir du mois de mai et jusqu'à Labor Day, on peut manger dehors, dans le parc de Union Square juste en face, sur une grande terrasse éphémère qui appartient à Coffee Shop. Ça s'appelle Luna Park et c'est d'autant plus agréable que l'on attend rarement pour avoir une table. Mais c'est noir de monde en fin de journée pour les *afterwork drinks.*

Veritas $$$$

43 E 20th St. (entre Broadway et Park Ave. South)
☎ 212 353 3700

Fondé sur l'adage *In vino veritas,* ce bar à vins haut de gamme possède l'une des plus grandes cartes des vins de la ville. Une carte magnifique qui réunit des breuvages du monde entier. Un superbe Chinon (pas du tout *chinonesque*) de Olga Raffault, un Grüner Veltliner d'Autriche parfait pour accompagner la salade de langoustes en été.
Ne vous embêtez pas à manger en salle (menu au prix fixe), installez-vous au bar, le menu est différent, mais tout aussi bon. Et laissez l'ivresse vous gagner.

Et aussi…

ELEVEN MADISON PARK $$$$$
11 Madison Ave. (angle 24th St.)
☎ 212 889 0905

SHAKE SHACK $
Madison Sq. Park (23rd St.)
☎ 212 889 6600

BLT FISH $$$
21 W 17th St. (entre 5th et 6th Ave.) ☎ 212 691 8888

PRIMEHOUSE NYC $$$$$
381 Park Ave. South (et 27th St.)
☎ 212 824 2600

CHOSHI $$
77 Irving Pl. (angle 19th St.)
☎ 212 420 1419

Midtown

ASIATE $$$$
80 Columbus Circle (angle 60th St.) ☎ 212 805 8881
Le restaurant de l'hôtel Mandarin Oriental offre une vue superbe sur Manhattan. Mais c'est en fait pour la cuisine qu'on vient à Asiate. Elle est délicieuse, parfumée et, comme son nom l'indique, asiatique. La soupe à la *Cesar salad* peut déconcerter au premier abord, mais c'est original et rafraîchissant. Les plats à base de poisson sont des *must-taste*.

BEN'S KOSHER DELICATESSEN $$
209 W 38th St. (entre 7th et 8th Ave.) ☎ 212 398 2367
On aurait pu vous conseiller Katz's, le plus vieux *deli* new-yorkais (d'ailleurs, on vous le recommande p. 55). Pour changer, allez chez Ben's. Une plongée dans un autre vieux New York, un quartier encore (pour combien de temps ?) industrieux. L'immense salle, Art Déco kitsch, est remplie d'employés des bureaux et des ateliers de textile environnants, venus chercher l'Europe centrale dans leur (copieuse) assiette : *hot pastrami*, *corned beef*, *brisket of beef*, ou encore *stuffed cabbage*, le tout bien entendu *kosher*. En attendant que votre plat arrive, amusez-vous à lire la blague juive préférée du patron, calligraphiée sur les murs, en picorant quelques pickles croquants.

BLT STEAK $$$$
106 E 57th St. (entre Park et Lexington Ave.) ☎ 212 752 7470
C'est le restaurant qui a converti les New-Yorkaises anorexiques mangeuses de poisson vapeur-petite salade en carnivores dévoreuses de *porterhouse steaks for two*. Un miracle dû à Laurent Tourondel, le nouveau chouchou culinaire de la ville. La raison : la viande est

succulente. Monsieur Tourondel sert également la perfection faite épinard. Sa préparation est aussi différente des infâmes épinards qu'on nous servait à la cantine qu'une fusée spatiale l'est d'un camion de poubelles. Bref, ce ne serait pas sympa de ne pas vous donner cette adresse.

BOUCHON BAKERY $$

10 Columbus Cir., 3e étage, angle 58th St. ☎ 212 823 9366

Comme vous le savez, New York a maintenant un shopping mall, mais dans ce *shopping mall*, le fast-food a de la gueule. Bouchon Bakery est la petite boulangerie pâtisserie de Thomas Keller, le génie culinaire qui opère à Per Se. Si vous êtes dans le quartier, passez prendre un sandwich, une quiche ou une tartine pour grignoter dans Central Park. Et si le temps n'est pas propice à la flânerie dans le parc, prenez une table au café de Bouchon Bakery. Ne partez pas sans avoir goûté un des gâteaux. Ils sont tous très bons. Mais craquez plus volontiers pour le *sticky bun*, sorte de pain au raisin, sans raisins et à la cannelle.

DB BISTRO MODERNE $$$$

55 W 44th St. (entre 5th et 6th Ave.) ☎ 212 391 2400

Ne vous préoccupez pas de savoir si vous prendrez une entrée – appelée *appetizer* à New York – ou un plat – appelé *entrée*, très déroutant –, mais préoccupez-vous de choisir des asperges, des fèves, des crustacés ou bien des plats mijotés. C'est comme cela que le chef, Daniel Boulud (d'où le nom du resto : DB) a conçu son menu. Il offre vraiment de la haute cuisine de bistrot, dont un hamburger qui fut longtemps le plus cher de New York (29 $ à l'heure où nous mettons sous presse) et qui, ma foi, vaut le détour. Un petit pain couvert de parmesan, de la viande de bœuf moelleuse, grillée et braisée, parfumée avec des truffes. Entre les ustensiles experts de DB, la bouffe américaine prend du galon.

GRAND CENTRAL OYSTER BAR $$$$

Grand Central Station, Lower Level (entre Vanderbilt Ave. et 42nd St.) ☎ 212 490 6650

Même si vous n'aimez pas les huîtres, Oyster Bar est un endroit à ne pas manquer. Installé à l'intérieur de la magnifique gare de Grand Central, récemment refaite, le restaurant aux voûtes carrelées sert du poisson, des beignets de calamars, de la soupe aux *clams* (la fameuse *clam showder* ; nous, on préfère la *New England clam showder* à la *Manhattan clam showder*). Mais la raison ultime de venir, bien sûr, ce sont les huîtres. Le restaurant offre une large sélection de la côte Est (au goût marin puissant) et de la côte Ouest (aux saveurs plus douces). De quoi nous rappeler que les États-Unis sont un pays ostréiculteur qui n'a rien à envier à nos belons.

Le Pain Quotidien $$

922 7th Ave. (angle 58th St.) et plusieurs autres adresses à NY

☎ 212 757 0775

On a beau dire, à la longue, les *bagels* ça peut lasser. Alors quand on a envie d'une baguette bien dense, on s'installe à l'une des immenses tables d'hôtes de cette chaîne belge. La nourriture est *healthy* et bio (taboulé, tartine de fromage blanc aux radis et aux oignons ou de *tuna salad*), les pâtisseries délicieuses (en tête de notre hit parade : le *French doughnut*, la *lemon tart* et la *chocolate espresso tart*).

Market Cafe $$

496 9th Ave. (entre 37th et 38th St.) ☎ 212 967 3892

Un bistrot au look de *diner* sixties qui sert des produits frais et bien préparés (goûtez les *clams* à l'ail et aux herbes s'ils sont à la carte). C'est très sympa à midi, les habitués du quartier viennent manger les *specials*, les plats du jour, sur les tables en formica. Un peu *gloomy* le soir. Si vous descendez aux toilettes, ne manquez pas la photo du phare, saisissante.

The Tea Box Café at Takashimaya $$$

693 5th Ave. (entre 54th et 55th St.) ☎ 212 350 0180

Ce n'est pas pour rien que ce salon de thé est souvent plein à l'heure du déjeuner. Les *ladies who shop* apprécient ce repaire gourmet, situé au sous-sol du grand magasin de luxe japonais Takashimaya (épargnez-vous de monter dans les étages, c'est hors de prix). La bonne surprise, c'est que la nourriture est excellente et pas trop chère.

Wu Liang Ye $$

338 Lexington Ave. (entre 39th et 40th St.) ☎ 212 370 9648

Au-then-tique. Plus chinois que ça, il vous faudrait aller à Chengdu, capitale du Sichuan. La déco (ou plutôt l'absence de la susdite !) est divinement ringarde. Wu Liang Ye est connu pour ses fondues chinoises. Vous pouvez choisir entre un bouillon épicé ou un bouillon sans piment. On vous recommande de prendre le combo. Attention, le bouillon pimenté est incroyablement fort ! Les ingrédients crus sont amenés à table, pour être cuits dans le bouillon frémissant. Explosif et délicieux.

Et aussi…

Aureole $$$$$

135 W. 42nd St. (entre 6th et 7th)

☎ 212 319 1660

Aquavit $$$$$

65 E. 55th St. (près de Madison Ave.) ☎ 212 307 7311

CASELLULA $$-$$$
401 W. 52nd St. (près de 9th Ave.) ☎ 212 247 8137

ESCA $$$$
402 W. 43rd St. (et 9th Ave.)
☎ 212 564 7272

HUDSON CAFETERIA $$$
356 W 58th St. (entre 8th et 9th Ave.) ☎ 212 554 6500

TOWN $$$$$
15 W. 56th St. (près de 5th Ave.)
☎ 212 967 3892

Upper West Side

CAFÉ LALO $
201 W 83rd St. (entre Amsterdam Ave. et Broadway)
☎ 212 496 6031
Le café romantique par excellence, au premier étage d'un *brownstone* (nom donné aux maisons du XIXe siècle en grès couleur chocolat), à deux blocs de Central Park. Un vrai décor de film à l'eau de rose (c'est d'ailleurs ici qu'a été tournée une scène de *You've Got Mail*, avec Tom Hanks et Meg Ryan) ! Les raisonnables choisiront une salade, les autres ne sauront plus où donner de la tête devant les tentations sucrées, plus explosives en calories les unes que les autres, *brownies*, *cookies* et gâteaux à triple étage. *Yummy !* Attention, c'est pris d'assaut pour les brunchs le week-end.

JEAN-GEORGES $$$$$
1 Central Park West (entre 60th et 61st St.) ☎ 212 299 3900
Souvent qualifié de meilleure toque de la ville, Jean-Georges sert une cuisine inventive de grande qualité. Le genre de cuisine que même un cordon bleu ne peut pas refaire derrière ses fourneaux : les mélanges sont ambitieux (foie gras et sauce aux fruits de la passion), les textures surprenantes (la soupe, servie dans un verre, qui est chaude au début et glacée à la fin), les techniques élaborées (glace frite). Tout ça fait un menu détonnant, même si parfois, on regrette que Jean-Georges ait la main un peu lourde sur les épices, en particulier le piment.

Et aussi…

PICHOLINE $$$$
35 W. 64th St. (entre Broadway et Central Park West)
☎ 212 724 8585

TELEPAN
72 W 69th St. (entre Columbus Ave. et Central Park West)
☎ 212 580 4300

CAFÉ BOULUD $$$$

20 E 76th St. (entre 5th et Madison Ave.) ☎ 212 772 2600

Qu'attendre d'un *celebrity chef* qui installe son bistrot dans l'Upper East Side ? Daniel Boulud a été à la hauteur des *expectations* des habitants du coin en leur livrant une version sophistiquée du bistrot français, avec quatre thèmes – la tradition, le potager, la saison, le voyage – sur lesquels se déclinent les préparations. C'est extrêmement bourgeois, quartier oblige, et si votre Botox se rapporte à votre collagène, vous êtes le phœnix des hôtes de ces tables. Il faut savoir que Boulud sert un menu à 30$ pour le déjeuner (une formule assez courante à New York et qui permet de tester les grandes toques sans se ruiner) ; imbattable, même si vous n'aimez pas les chichis. Café Boulud, café pas foutu…

DANIEL $$$$

60 E 65th St. (entre Park et Madison Ave.) ☎ 212 288 0033

Au royaume de la gastronomie new-yorkaise, Daniel Boulud fait partie du triumvirat (avec Jean-Georges et Alain Ducasse) des grands chefs. Son restaurant homonyme est son fer de lance. Accueil parfait et haute cuisine créative. Une sommelière de grande classe et une carte des vins qui va avec le standing de l'établissement. Une addition en conséquence.

LEXINGTON CANDY SHOP $

1226 Lexington Ave. (angle 83rd St.) ☎ 212 288 0057

Un *diner* rétro comme dans les films. La déco est restée telle quelle depuis l'ouverture, en 1925, les serveuses donnent l'impression de ne pas avoir bougé non plus (!), et le grill est *greazy* à souhait. Installez-vous au bar ou sur une banquette dans l'un des *booths*. Commandez des *pancakes* pour un brunch version portions américaines ou un *burger* pour un *lunch* rapide et pas cher (une qualité pour le quartier). Faites passer le tout avec une *fresh lemonade*. Et si après tout ça, le sucre ne vous fait pas peur, goûtez un *float*, un soda avec une boule de glace…

MAYA $$$

1191 1st Ave. (entre 64th St. et 65th St.) ☎ 212 585 1818

Richard Sandoval, le chef qui opère en cuisine, a tout compris aux épices. La cuisine mexicaine qu'il sert est très savoureuse. Mais ce qu'on adore chez Maya, c'est la légèreté des plats. À notre avis, ce sont les meilleurs tacos de New York (surtout ceux au bœuf). La sélection de tequilas et les margaritas valent le détour.

THE BAR @ ETATS-UNIS $$$

247 E 81st St. (entre 2nd et 3rd Ave.) ☎ 212 396 9928

C'est une drôle de configuration. D'un côté de la rue, vous avez le restaurant, de l'autre, vous avez le bar. Les serveurs naviguent entre les deux salles, au milieu du trafic avec les plats et les boissons. Choisissez le bar, généralement bondé de monde. Ambiance très sympa. Menu sans prétention, bon et frais, même si les prix sont un peu élevés pour ce que c'est (15 $ pour une assiette de guacamole). Craquez sans hésitation pour le soufflé maison : une orgie chocolatée.

Et aussi...

BEYOGLU $-$$
1431 Third Ave. (angle 81th St.)
☎ 212 650 0850

SUSHI OF GARI $$$$$
402 E. 78th St. (angle 1st Ave.)
☎ 212 517 5340

Morningside Heights, Harlem & Spanish Harlem

Et aussi...

MAKE MY CAKE $
121 St. Nicholas Ave. (au coin avec 116th St.)☎ 212 932 0833

RAO'S $$$$
455 E. 114th St. (entre 1st Ave. et Pleasant Ave.)
☎ 212 722 6709

AFRICA KINE RESTAURANT $$
256 W. 116th St. (entre Frederick Douglass Blvd et Adam Clayton Powell Jr Blvd.)
☎ 212 666 9400

Brooklyn

CHAI HOME KITCHEN $
Williamsburg, 124 N 6th St. (entre Bedford Ave. et Berry St.)
☎ 718 599 5889
À moins de vraiment vouloir prendre un bain de foule, évitez Sea Thai et Planet Thailand, les deux branchés du coin, et allez à Chai. Un ravissant petit restaurant, beaucoup plus intime, où les lotus et les bambous se mêlent aux murs de briques. Énorme avantage : on peut se parler sans avoir besoin de hurler pour couvrir l'ambiance musicale ! Également agréable pour boire une tasse de thé au jasmin l'après-midi.

CHEZ OSKAR $$$
Fort Greene, 211 DeKalb Ave. (angle Adelphi St.)
☎ 718 852 6250
C'est l'un des premiers restaus à avoir ouvert dans Fort Greene, un quartier de Brooklyn que l'on aime beaucoup pour sa mixité. Le patron est français (c'est souvent le cas dans le coin). Du coup, la carte marie moules frites et cheeseburger. Gros avantage : on peut dénicher une table en terrasse, même le week-end.

DUMONT $$
Williamsburg, 432 Union Ave. (entre Devoe St. et Metropolitan Ave.)
☎ 718 486 7717
Un rade bien de Brooklyn. Le Brooklyn encore un peu industriel et populaire, avec ses rues cabossées, à deux pas du métro aérien, en face d'une station service où l'on peut apercevoir de temps en temps une superbe Chevrolet cabriolet de collection. DuMont est un bistrot de quartier dans le coup mais sans prétention, dont la carte panache *burgers* bien juteux et *specials* plus raffinés inscrits au tableau noir (délicieuse soupe de chou-fleur parfumée à la truffe lors de notre dernière visite).

GRIMALDI'S $$
Dumbo, 19 Old Fulton St. (entre Front St. et Water St.)
☎ 718 858 4300
Au pied du pont de Brooklyn, voici un autre prétendant au titre de meilleure pizza du monde. On y croise le sosie de Saddam Hussein, bien plus sympathique, en pizzaïolo. Réservations impossibles, l'attente est souvent longue. Si vous le pouvez, venez en dehors des heures de repas (un comble pour un restaurant !). Ou alors, s'il fait beau, commandez votre pizza en *take-out* et allez la manger au bord de l'East River, pour admirer les bateaux et les jeunes Chinoises qui, sortant de limousines *stretch* de location, viennent se faire photographier dans leur robe meringuée le jour de leur mariage.

HOPE AND ANCHOR $
347 Van Brunt St., Brooklyn (au coin de Wolcott S)
☎ 718-237-0276
Un *diner* détonnant dans un quartier étonnant, à quelques blocs des derniers dockers de New York, dans le quartier de Red Hook. On y mange tous les classiques d'un *American diner*, notamment d'excellents *burgers*, dans un décor qui swingue. Ne ratez pas les soirées karaoké menées par une drag queen qui décoiffe.
On vous voit déjà faire la moue « le karakoé, merci mais non merci ». C'est aussi ce que nous nous disions avant de nous retrouver hurlant dans le micro *« Call me my love you can call me any day or night, Call me ! »* en Blondie. Parfait aussi pour les

LES STAPLES DE NEW YORK, OÙ MANGER ...

... un bon hot dog

Gray's Papaya 2090 Broadway (entre 71st et 72nd St.) ☎ 212 799 0243. **Shake Shack** dans Madison Square Park. **Pop Burger** 60 9th Ave (entre 14th et 15th St.) ☎ 212 414 8686

... un *bagel* frais

Ninth Street Bakery 350 9th St. (entre 1st & 2nd Ave. ☎ 212 477 6642. **Ess-a-bagel** 359 1st Ave. (angle 21st St.) ☎ 212 260 2252

... un hamburger juteux

Vous trouverez le meilleur *burger* de la ville chez **Shake Shack** dans Madison Square Park (la queue est interminable, mais armez-vous de patience ou connectez-vous à leur webcam pour connaître la longueur de la file d'attente).
Et aussi **Burger Joint @ Parker Meridien** Hotel 118 W 57th St. (entre 6th et 7th Ave.) ☎ 212 708 7414

... un savoureux Pastrami

Katz's Delicatessen 205 E Houston St. (angle Ludlow St.) ☎ 212 254 2246. **Pastrami Queen** 1125 Lexington Ave. (entre 78th St. et 79th St.) ☎ 212 734 1500. **2nd Avenue Deli** 162 E. 33rd St. (entre 3rd Ave. et Lexington Ave.) ☎ 212 366 1182

... une *slice* de pizza fine et craquante

Waldy's 800 6th Ave. (entre 27th et 28th St.) ☎ 212 213 5042
Joe's Pizza 7 Carmine St. (angle Bleecker St.) ☎ 212 213 5042

... un *BLT*

Eisenberg's Sandwich Shop 174 5th Ave. (proche 22nd St.) ☎ 212 675 5096. **'Wichcraft** 11 E 20th St. (entre 5th Ave. et Broadway) ☎ 212 780 0577

... un *cup cake*

Magnolia Bakery 401 Bleecker St. (angle 11th St.) ☎ 212 462 2572. **Billy's Bakery** 184 9th Ave. (entre 21st et 22nd St.) ☎ 212 647 9956.

... un *doughnut*

Doughnut Plant 379 Grand St. (et Norfolk St.) ☎ 212 505 3700. **Craft** 43 E 19th St. (entre Park Avenue South et Broadway) ☎ 212 780 0880. **The Donut Pub** 203 W 14th St. (et 7th Ave.) ☎ 212 929 0126.

Tea time

Le cocktail a beau être la boisson fétiche des New-Yorkaises, la ville regorge de salons de thé où l'on peut faire une pause relaxante ou déguster de savoureux *afternoon teas*.

CHA-AN (East Village)
230 E 9th St. (entre 2nd et 3rd Ave.) ☎ 212 228 8090
Dissimulé au 1er étage d'un immeuble résidentiel, ce salon de thé japonais offre une retraite salvatrice entre deux *vintage shops*. On peut y manger ou simplement y boire une tasse de thé, servie avec tout le cérémonial requis (5 à 7 $ le pot). Ne ratez pas le thé glacé à l'hibiscus et aux fleurs de sureau *(elder-flower)*.

TEA & SYMPATHY (Greenwich Village)
108 Greenwich Ave. (entre 12th et 13th St.) ☎ 212 989 9735
Un petit coin d'Angleterre au milieu de Greenwich Village. C'est cosy, c'est bon, et les patrons, *British of course*, sont accueillants. Le pot de thé individuel est à 3,95 $, l'*afternoon tea* à 21,95 $ par personne (*finger sandwiches*, *scones* et *puddings* de rigueur).

LADY MENDL'S (Gramercy/Flatiron)
56 Irving Place (entre 17th et 18th St.) ☎ 212 533 4466
Imaginez-vous par un après-midi pluvieux, lové dans une bergère, dans le salon victorien d'un *browstone* du XIXe siècle. Romantique à souhait. On ne peut pas venir juste pour boire une *cup of tea,* mais obligatoirement pour un gargantuesque *five-course tea*, avec salade, sandwiches, *scones* et gâteaux. 35 $ par personne (attention, la maison ajoute d'emblée 20 % de tip). Du mercredi au dimanche sur réservation.

TEANY (Lower East Side)
90 Rivington St. (entre Orchard et Ludlow St.) ☎ 212 475 9190
Quand Moby, le chanteur, décide de s'associer avec une copine pour nous faire partager sa passion du thé et de la nourriture *veggie*. Vu le quartier, c'est forcément un peu grunge. On trouve ça assez réussi et c'est pas cher.

●●●

●●●

Tea Lounge
837 Union St. (entre 6th et 7th Ave.), Park Slope, Brooklyn
☎ 718 789 2762
The cool place – un tantinet caricaturale du quartier mais agréable – pour s'affaler dans un canapé. Belle sélection de thés, il y a même un mélange (*organic* bien sûr) spécialement conçu pour les enfants car l'endroit est on ne peut plus *kid-friendly*. C'est le repaire des parents adeptes de l'écharpe porte-bébé et des célibataires adeptes du MacBook. On peut y déjeuner et aussi boire un verre de vin en écoutant du jazz certains soirs.

brunchs en famille (l'atmosphère interlope change d'ailleurs complètement dans la journée, il y a même une caisse remplie de jouets pour les enfants). D'accord, c'est l'expédition pour venir à Red Hook (soyez fous, prenez un *water taxi* !) mais vous ne le regretterez pas.

Madiba $$$
Fort Greene, 195 DeKalb Ave. (entre Adelphi et Carlton St.)
☎ 718 855 9190
Dans quel autre quartier de New York ce restaurant post-apartheid aurait-il mieux trouvé sa place qu'à Fort Greene, l'un des rares endroits où les noirs et les blancs se mélangent, et où vivent beaucoup de couples mixtes. En général, on attaque par un mojito pas pour fillette servi dans un bocal à confiture, avant de passer à table (en terrasse ou dans la salle aux couleurs de l'Afrique du Sud où viennent se produire DJs et musicos le soir). On se laisse tenter par un carpaccio d'autruche, un ragoût *bobotie* ou un *breyani*, à base de riz et de lentilles. Avis aux aventurières, on n'a jamais osé essayer la *Monkey gland sauce.* Les petites joueuses choisiront *the catch of the day*, le poisson du jour accommodé selon les humeurs du chef.

Peter Luger $$$$
Williamsburg, 178 Broadway (entre Bedford et Driggs Ave.)
☎ 718 387 7480
Cette institution plus que centenaire aux airs de vieille dame bavaroise, plantée au milieu du quartier juif hassidique à tendance de plus en plus bobo, ne fait pas mentir sa réputation. On déjeune en compagnie des petits patrons au teint rougeaud qui viennent fêter un bon *deal.* Pas la peine de regarder le menu, on vient ici pour une seule chose : le *porterhouse steak*. Très cher (65 $ pour deux personnes) mais quel régal. Demandez-le *medium rare*, accompagné de *creamed spinach* ou de *German fried potatoes*. Si après ça, vous avez encore faim, sachez que les desserts ne sont pas

vraiment fins, mais servis avec double dose de crème fouettée maison. Venir sans réserver ? *Don't even think about it !*

ROSE WATER $$$
787 Union St., (et 6th Ave.), Brooklyn ☎ 718-783-3800
C'est bon, c'est le plus possible *local*, *organic* et *seasonal*, donc on a en prime bonne conscience , c'est romantique (notamment la petite terrasse en été), et en plus, c'est à Brooklyn donc ça vous reposera du chaudron de Manhattan.

SWEET MELISSA $
276 Court St., Brooklyn (entre Douglass St. et Butler St.)
☎ 718-855-3410
C'est l'endroit idéal pour lire le *New York Times* en sirotant un *latté* ou un *macchiato*, prendre un brunch, grignoter un morceau à midi (salades, sandwiches, soupes *homemade*), ou encore faire une pause *Afternoon Tea* pour les plus gourmands. S'il fait beau, vous ferez le lézard pendant des heures, attablé dans le joli backyard fleuri et ensoleillé. S'il fait froid, vous profiterez de l'intérieur cosy. *Last but not least*, les enfants sont *more than welcome*, accueillis avec les chaises hautes et les Crayola de rigueur, et le typique *children's menu* : *peanut butter & jelly*, *egg salad* ou *tuna sandwich*.

THE RIVER CAFÉ $$$$
Dumbo, 1 Water St. (angle Fulton St.) ☎ 718 522 5200
Vous trouverez toujours des rabat-joie pour vous dire que c'est un restaurant pour touristes. Et alors ? Ne boudez pas votre plaisir : la vue sur l'East River, avec les cargos, le pont de Brooklyn et la *skyline* de Manhattan en enfilade, est on ne peut plus romantique ; le service est irréprochable, la nourriture délicieuse. Chic, beau et bon.

TOM'S RESTAURANT $
Prospect Heights, 782 Washington Ave.
(entre St. John et Sterling Pl.) ☎ 718 636 9738
Une *luncheonette* typiquement américaine. Ce capharnaüm kitsch opère depuis 1936 dans un quartier de Brooklyn aujourd'hui en pleine *gentrification*. Omelettes, *pancakes* et saucisses : on y vient plus pour l'ambiance que pour la finesse de ce qu'il y a dans l'assiette.

Et aussi…

AL DI LÀ $$-$$$
248 Fifth Ave. (angle Carroll St.) ☎ 718 783 4565

EGG $ pour le brunch
$$$ pour le dîner
135 N. 5th St. (entre Berry St. et Bedford Ave.) ☎ 718 302 5151

LOULOU RESTAURANT $$$
222 DeKalb Ave. (entre Clermont Ave. et Adelphi St.)
☎ 718 246 0633

SAUL $$$$
140 Smith St. (entre Dean et Bergen St.) ☎ 718 935 9844

ZENKICHI $-$$
77 N. 6TH ST. (entre Berry St. et Wythe Ave.)
☎ 718 388 8985

GOURMANDISES OÙ ACHETER...

... des tomates qui ont du goût, des *pumpkins*, des œufs frais, du poulet fermier, des fruits de saison
Union Square Farmers Market 17th St. et Broadway

... des pâtes fraîches
Raffetto's 144 W Houston St. (entre Sullivan et McDougal St.)
☎ 212 777 1261
Arthur Avenue Retail Market 2344 Arthur Ave. (angle E 186th St.) Bronx

... des épices, des olives, du café, et des produits importés du *Middle East*
Sahadi Importing Co 187 Atlantic Ave. (entre Clinton et Court St.) Brooklyn ☎ 718 624 4550

... plus de 35 variétés de riz, des chutneys, des produits indiens et des épices du monde entier
Kalustyan's Market 123 Lexington Ave. (entre 28th et 29th St.)
☎ 212 685 3451

... du caviar, du saumon fumé
Russ and Daughters 179 E Houston St. (entre Allen et Orchard St.) ☎ 212 475 4880
Barney Greengrass 541 Amsterdam Ave. (entre 86th et 87th St.)
☎ 212 724 4707

●●●

●●●

... du bœuf, du lapin, la dinde de Thanksgiving

Ottomanelli & Sons 285 Bleecker St. (entre 6th et 7th Ave.)
☎ 212 675 4217

Florence Meat Market 5 Jones St. (entre Bleecker et W 4th St.)
☎ 212 242 6531

... de l'excellent porc

Faicco's Pork Store 260 Bleecker St. (entre 6th et 7th Ave.)
☎ 212 243 1974

... des algues, des Hello Kitty potato chips, du wasabi, des soba, et plein d'articles japonais

Sunrise Mart 4 Stuyvesant St. (entre 9th St. et 3rd Ave.)
2e étage ☎ 212 598 3040

... de l'huile d'olive, de la feta, du baklava, du tarama, et autres produits grecs

Titan Foods 25-56 31st St. (angle Astoria Blvd.), Astoria Queens ☎ 718 626 7771

... des homards, des crabes, du poisson frais, des légumes exotiques et des chinoiseries

Dynasty Supermarket, 68 Elizabeth St. (entre Grand et Hester St.) ☎ 212 966 4943

... des fromages affinés (oui, oui, même au lait cru...)

Blue Apron Foods 814 Union St. (entre 6th et 7th Ave.), Park Slope, Brooklyn ☎ 718-230-3180

Lamazou Cheeses 370 3rd Ave. (entre 26th et 27th St.)
☎ 212 532 2009

Murray's Cheese Shop 254 Bleecker St. (entre 6th et 7th Ave.) ☎ 212 243 3289

... tout ce qu'il faut pour préparer un bon dîner ou un pique-nique

Fairway Market 2328 12th Ave. (angle 132nd St.)
☎ 212 234 3883.

Ne manquez pas l'impressionnante chambre froide remplie de viandes, volailles, poissons, pâtes fraîches et produits laitiers. Prenez l'un des blousons accrochés devant la porte, ça vous évitera de geler pendant que vous remplissez votre caddy.

Notes : La becquée

Les virées

Nos adresses de bars et de clubs

« Qu'importe le flacon pourvu qu'on ait l'ivresse ». Musset avant l'heure avait bien capté de quoi New York est faite. Car en matière d'ivresse, la ville offre tous les flacons du monde. Une margarita, *frozen* ou *on the rocks*, un martini, *stirred not shaken*, un Bloody Mary ou encore un verre de Barolo avec ses Manolos. Forcément, dans la ville qui ne dort jamais, les lounges et les bars sont à la hauteur des attentes des noctambules et des insomniaques. *Cheers !*

Bars et clubs

A60 et Thom's Bar

60 Thompson St. (entre Spring et Broome St.) ☎ 212 219 3200

Comme on vous l'a dit, l'hôtel Sixty Thompson est chic et *in vogue*. Pas étonnant que ses bars soient sur le même ton. Le patron, l'hôtelier star Jason Pomeranc (ancien *lover* de Shannen Doherty) a transformé le toit de son hôtel en bar en plein air (ouvert seulement en été). Au A60 (qui signifie *Above 60*), on boit des cocktails en admirant la vue à 180 degrés sur Midtown et Downtown Manhattan. La clientèle est faite de clients de l'hôtel et de membres (c'est-à-dire les amis de Jason, pour la plupart célèbres, ou bien mesurant plus d'1,75m, avec de longues jambes et un galbe tout en rondeur, ou encore les deux ...). Si vous avez la chance de passer la porte, vous pourrez faire du *star seeing* dans le ciel et sur la banquette d'à côté. Mieux qu'aux Hamptons. Sinon, rabattez-vous sur Thom's Bar, l'autre lounge de l'hôtel, ouvert à tous et qui n'est pas mal non plus.

Bemelmans Bar

The Carlyle 35 E 76th St. (angle Madison Ave.) ☎ 212 744 1600

Si vous avez envie d'un verre *old-fashion style*, le bar du Carlyle est un petit bijou d'intimité romantique bourgeoise. Mobilier Art Déco, plafond doré à l'or 24 carats, et fresques murales peintes par Ludwig Bemelmans (le papa de Madeline). Glissez-vous sur une banquette en cuir, commandez un Old Cuban ou l'un des autres délicieux cocktails d'Audrey Saunders (cette mixologiste de renom n'est plus derrière le bar mais elle continue de superviser la carte), et laissez-vous bercer par le *pianoman*.

Cabana at the Maritime Hotel

88 9th Ave. (entre 16th et 17th St.) ☎ 212 242 4300

Deux volées de marches, une porte un peu cachée. Cabana cultive le secret. L'endroit a des atouts : moitié jardin ouvert, moitié patio couvert. C'est l'endroit idéal pour admirer un orage un soir d'été. La clientèle est jeune, un mélange de mannequins, de musiciens et de créatifs, qui carburent peut-être plus qu'au simple *muddled mojito*. Mais comme la seule poudre blanche qu'on connaisse de près est griffée Chanel, on n'est pas bien sûres. Très souvent, l'endroit – ouvert en été uniquement – est réservé pour des soirées privées. Mais bon, avec un peu de conviction, vous arriverez bien à attendrir le videur pour qu'il vous laisse festoyer avec les *rich and famous*...

LES MUSIC VENUES RECOMMANDÉES PAR ELISABETH VINCENTELLI

ARTS & ENTERTAINMENT EDITOR
À TIME OUT NY

The Bowery Ballroom

Bâti en 1929, c'est mon endroit favori pour les concerts rock. Environ 500 places, on voit bien de partout car la scène est assez haute, et surtout la sono est la meilleure de la ville. Les prix sont assez raisonnables, 20 $ en moyenne.
6 Delancey St. (entre Bowery et Chrystie St.)
☎ 212 533 2111 www.boweryballroom.com

Cake Shop

Cet endroit unique est une oasis dans un Lower East Side devenu un repaire de branchés infréquentables. Au rez-de-chaussée, on peut boire un cappuccino ou acheter un disque dans un petit magasin ; au sous-sol, des groupes bien rock jouent sur une scène minuscule pour un prix imbattable : 7 $ en moyenne !
152 Ludlow St. (entre Stanton et Rivington St.)
☎ 212 253 0036 www.cake-shop.com

Joe's Pub

La classe : intime, confortable, la bouffe y est pas mal, la sono excellente. Côté musique, il y a un peu de tout sauf du gros rock : world, jazz, Broadway, pop, latino, et même de la danse moderne de temps en temps. Attention, l'addition peut grimper rapidement car, en plus du billet, il faut consommer !
425 Lafayette St. (entre 4th St. et Astor Pl.)
☎ 212 539-8777 www.joespub.com

Prospect Park Bandshell + McCarren Pool

Mieux vaut éviter Central Park pour les concerts d'été en plein air : souvent cher, archi-bourré, sono nulle. Les deux meilleures alternatives sont à Brooklyn. Dans le magnifique Prospect Park, le Celebrate Brooklyn ! Performing Arts Festival offre des groupes en tout genre supers (Manu Chao est venu plusieurs fois), du classique, des films, de la danse. À Williamsburg, McCarren Park Pool, une gigantesque piscine datant de 1936 (et maintenant vide, bien sûr), est devenue un centre de ralliement pour tous les rockeurs indés du coin. Et il y en a beaucoup !
www.briconline.org/celebrate/default.asp
www.mccarrenpark.com/

Attention, munissez-vous d'une pièce d'identité car la plupart de ces endroits, qui vendent de l'alcool, sont interdits aux moins de 21 ans.

Cowgirl Hall of Fame

519 Hudson St. (angle 10th St.) ☎ 212 633 1133

For sure, après avoir goûté aux margaritas maison de ce saloon à la sauce West Village, un *yee-haw !* de satisfaction ne manquera pas de claquer sur vos lèvres. *Frozen* ou *on the rocks*, *salt* ou *no salt*, généreusement servies dans des bocaux à confiture, elles sont à tomber raides (pas seulement au figuré d'ailleurs, méfiez-vous !). Si vous avez un « petit » creux, commandez leur fameuse *Frito Pie* – des chips de maïs recouvertes de chili, de fromage et de crème fraîche. Le restaurant cuisine des grands classiques du sud, comme les *BBQ ribs* ou le *fried chicken*. La terrasse est très agréable.

Dos Caminos Park

373 Park Ave. South (entre 26th et 27th St.) ☎ 212 294 1000

Le bar de ce restaurant mexicain stylisé est pris d'assaut pour les *afterwork drinks*, autrement dit à l'heure de l'apéro. Il faut souvent jouer des coudes pour atteindre le barman mais ça vaut le coup de piétiner un peu. Ils ont plus de 100 tequilas et leurs margaritas font partie des meilleures de la ville. Parmi leurs *signature cocktails*, la Frozen Prickly Pear Margarita. Mais nous, on aime la plus simple, la traditionnelle. Accompagnez ça d'un (excellent) guacamole et de quelques tacos.

Les patrons ont ouvert un deuxième Dos Caminos à SoHo (475 West Broadway à l'angle de Houston St.), ce sont les mêmes margaritas mais l'ambiance est plus lounge.

Flatiron Lounge

37 W 19th St. (entre 5th et 6th Ave.)

☎ 212 727 7741

Si vous ne devez boire qu'un seul cocktail à New York, ce sera au Flatiron Lounge. La mixologiste de génie de ce lounge Art Déco met autant de précision à ciseler ses breuvages qu'un diamantaire d'Anvers à tailler ses pierres. Julie Reiner jongle savamment avec les alcools, les jus de fruits frais et les infusions d'herbes. Le résultat est traîtreusement bon (mais on n'a presque jamais eu mal à la tête le lendemain). Ne ratez surtout pas le Juniper Breeze et le Lychee & Lemongrass Fizz, tous deux à base de gin. Ou testez le Flight of the Day, un trio thématique de mini-cocktails.

Milk & Honey

134 Eldridge St. (entre Broome et Delancey St.)

☎ Téléphone sur liste rouge

Ça se passe dans une rue ordinaire du Lower East Side, à côté d'une bodega, dans un immeuble HLM, la vitrine dit *Taylor-Alterations*. Aucune lumière ne filtre, l'endroit a l'air fermé. La couturière a rangé son fil et ses aiguilles. Derrière la porte, c'est le bar le plus exclusif de la ville. Numéro de téléphone sur liste rouge, réservation obligatoire (et quasi-impossible). L'endroit est minuscule (25 places). Sasha, le propriétaire du lieu, a voulu recréer un *speakeasy*. Et ma foi, jusque dans les moindres détails, c'est sublimement réussi. Les cocktails sont, sans mentir, les meilleurs de la ville, la musique jazzy des années 30 est envoûtante, la lumière tamisée invite aux confidences. Sasha a élevé le glaçon au rang d'art. Pavés de glace, glace pillée à la cuiller, verres gardés à - 40 degrés. À Milk & Honey, les règles sont strictes : les hommes n'ont pas le droit d'engager la conversation avec les femmes et ce n'est pas là que vous allez observer vos stars préférées car chez Sasha, "*No name dropping, no star fucking*". À la clé, vous avez un concentré suprême de snobisme new-yorkais. Ça fait 8 ans que ça dure et personne ne s'en lasse. Si vous n'arrivez pas à entrer dans le saint des saints, rabattez-vous sur Little Branch (20 Seventh Ave.), l'autre bar de Sasha, nettement plus *customer friendly*.

Old Town Bar & Restaurant

45 E 18th St. (entre Broadway et Park Ave. South)
☎ 212 529 6732

C'est ici que l'on vient quand on a envie de boire une bonne mousse. L'endroit est superbe, très *old New York*, avec plafond en fonte moulée et boiseries sombres. Entre deux gorgées, on suit d'un œil le score du match retransmis à la télé, en discutant avec les habitués. Par pitié, oubliez la Bud, commandez plutôt une Sierra Nevada, une Red Hook ou une Sam Adams. Pour info, les cocktails ne sont vraiment pas leur fort, et contrairement à ce que racontent les critiques locales, leurs *burgers* ne sont pas les meilleurs de la ville.

PDT

113 St. Marks Pl. (entre 1st Ave. et Ave. A) ☎ 212 614 0386

Au rayon des bars qui se veulent ultra secrets, PDT est le nouveau venu. Le sigle signifie *Please Don't Tell* et le principe est similaire à Milk & Honey. Ici, carrément pas de devanture. L'entrée du bar est

OÙ BOIRE DU BON VIN

Beaucoup de restaurants new-yorkais font aussi office de bar. C'est l'occasion de boire un verre de vin, ou même de manger un morceau au comptoir.

Nos restaus préférés (à la fois pour leur *wine list* et pour l'ambiance) pour sonder du Barolo ou du Zinfandel : **Gramercy Tavern** (*cf.* p 47), **'inoteca** (98 Rivington St., angle Ludlow St.), **Veritas** (*cf.* p 47) et **Peasant Wine Bar** (194 Elizabeth St., entre Prince et Spring St.).

située à l'intérieur d'un fast-food de hot-dogs. Repérez l'enseigne de Criff Dog, vous ne pouvez pas la rater. C'est une grosse saucisse qui sort de la devanture avec le slogan *"eat me"*. Descendez les quelques marches, dirigez-vous vers la porte sur la gauche. Décrochez l'interphone et annoncez-vous. Une aimable hôtesse vous ouvrira la porte et vous fera pénétrer dans le bar aux murs décorés de têtes de cerfs empaillées. Parmi les choses à faire, commandez un hot-dog pour tenir compagnie à votre drink. Les cocktails sont très bons, le breuvage signature "le dernier mot", en français dans le texte, nous a laissées *speechless*...

PEGU CLUB
77 W Houston St.
(entre Wooster St. et West Broadway)
☎ 212 473 7348
C'est un club au sens britannique du terme. Pegu s'inspire de l'établissement éponyme, un club colonial de Rangoon, où les troupes de sa Majesté se délectaient de boissons à base de gin. Audrey Saunders, une des mixologistes les plus respectées, et sa comparse Julie Reiner (*cf.* Flatiron Lounge, p. 70), agitent les shakers derrière le bar. On y boit des breuvages tels que le Gin Gin Mule, le Jasmine ou encore le Whiskey Smash, une création de Dale DeGroff, le mentor d'Audrey et de Julie. Pour combler les petites faims, un assortiment de hors-d'œuvre délicieux. Avec sa déco asiatique, Pegu est un club smart, on se verrait bien y prendre un verre avec James (Bond). *Stirred, not shaken. Ohh James...*

PRAVDA
281 Lafayette St. (entre Houston et Prince St.)
☎ 212 226 4944
En franchissant la porte, on pourrait croire avoir glissé dans le continuum espace-temps, pour se retrouver en URSS dans les années 70. On serait à peine surpris si Brejnev se jetait des *shots* de vodka dans le gosier à côté de nous. Pravda joue à fond la carte soviet chic : une sélection de 65 vodkas, des zakouskis qui incluent évidemment du caviar. Une des pièces de l'empire Mc Nally – voir Balthazar, Pastis, Schiller's –, l'endroit a ouvert sur le mode *Oh so stylish !* Aujourd'hui, les coureurs de *hype* ont migré ailleurs et Pravda est rendu à ses fidèles clients qui apprécient la sophistication de l'endroit. Essayez de squatter l'un des fauteuils clubs en cuir et laissez la vodka infuser votre esprit.

WHITE HORSE TAVERN
567 Hudson St. (angle 11th St.) ☎ 212 243 9260
Un bar légendaire du West Village, qui était le repaire des marins, des ouvriers et des poètes de génie du quartier. La clientèle a bien

LES NIGHT-CLUBS RECOMMANDÉS PAR PIERRE BATTU
ORGANISATEUR DES SOIRÉES FRENCH TUESDAYS

Upstairs
Secret Spot

On le savait depuis longtemps, la nuit appartient aux célébrités. Dany A, le bien connu promoteur et ami des stars, en a fait la preuve. Si vous voulez frotter vos épaules avec Chris Rock ou Adam Sandler, Upstairs doit être votre prochaine destination. *Be beautiful*, c'est le plus important. Si votre boyfriend vous accompagne, soyez sûre que son compte bancaire n'est pas déjà proche du découvert.
95 Spring St. (entre Mercer St. et Broadway). Fermé le mardi.

Marquee
Une valeur sûre

Depuis plus de 4 ans, Marquee est la boîte new-yorkaise qui ne désemplit jamais. Parfaitement gérée, superbement entretenue, les clubbeurs de tous âges s'y retrouvent pour célébrer ensemble leur "joie de nuit". Pour éviter une longue attente ou un désagréable refus, arrivez avant minuit.
289 10th Av. (entre 26th et 27th St.)
☎ 646 473 0202

The Box
Ils sont fous ces New-Yorkais

Lorsque l'on pénètre dans cet endroit magique, on se demande comment un si beau théâtre a pu être caché pendant si longtemps. Il n'en est rien, puisque ce n'est que très récemment que cet atelier de soudure a été transformé en une parfaite réplique d'un cabaret des années folles. Tout y est, les meubles patinés, les murs aux peintures anciennes écaillées, les boudoirs décrépits et une scène sortie tout droit du film "Moulin Rouge". L'ambiance démarre très tard (1: 30 am) mais vous assisterez là à ce que NY fait de plus déjanté. Serveuses nues, nains acrobates, maître de cérémonie gothique, orchestre live, DJ endiablés, le tout réservé uniquement aux fashionistas et à leurs prétendants les plus branchés. Réservation obligatoire pour retrouver le NY que tant regrettent.
189 Chrystie St. (entre Stanton et Rivington St.)
☎ 212 982 9301

●●●

●●●
Nikki Midtown

Sous le Soleil de Miami

Un endroit plus relax, où sous le soleil des spotlights, on retrouve indoor ce que Miami offre toute l'année *outdoor*. C'est beau, c'est blanc, c'est exotique.... C'est un endroit bien original pour savourer un Mojito allongé lascivement (ou pas) sur les banquettes immaculées.

151 East 50th St. (entre Lexington Ave. et 3rd Ave.)

☎ 212 753 1144

Kiss & Fly

Just opened

L'équipe au complet de Pink Elephant transporte sa magie dans le Meatpacking District. Après seulement quelques semaines d'ouverture (l'établissement a ouvert ses portes en décembre 2007), difficile de se forger une opinion, mais si vous aimez la nouveauté...

409 W 13th St. (entre 9th Ave. et Washington St.)

☎ 212 255 1933

changé (ah, ces touristes… non, non, on plaisante !), mais vous croiserez peut-être notre marin préféré, notre pote Capt'ain Bill, en train de boire un whisky, ou bien le chef du commissariat voisin. Et après un certain nombre de verres de bourbon, vous vous prendrez sans doute pour le poète de génie !

Notes : Les virées

Les virées

La poule peinte

Nos adresses pour se faire belle

C'est en vivant à New York que nous avons découvert le concept de *high maintenance*. Les New-Yorkaises prennent soin d'elles – aussi bien par souci d'apparence que pour décompresser. Évidemment, elles n'ont pas toutes les moyens de passer leur vie dans des spas, mais chacune à son niveau profite des nombreux services qu'offre la ville. A-t-on encore besoin de vous dire que vos ongles négligés seront du plus mauvais effet ? Allez ouste, filez dans un *nail parlor*, pas d'excuse, vous n'avez même pas besoin de prendre rendez-vous.

Les spas

10th STREET RUSSIAN AND TURKISH BATH

268 E 10th St. (entre 1st Ave. et Ave. A) ☎ 212 473 8806
www.russianturkishbaths.com

Un bain de vapeur de légende pour des pintades à la recherche d'authenticité. Laissez votre pudeur avec vos habits au vestiaire (vous pouvez cependant arborer un maillot de bain et la robe de l'établissement, une toge romaine élimée). Plongez dans la piscine d'eau glacée, puis faites-vous étuver dans la salle principale (chaleur radiante et humide très intense) en compagnie des rabbins, des *CEO's* et des employés de la ville. Ici, les barrières sociales sont abolies. Car nous sommes tous égaux face au plazah, un massage/battage avec des branches de chêne. Demandez Boris pour ses frictions vigoureuses (pour celles-là, vous serez nue, et chaque centimètre carré de votre peau sera massé avec vigueur). Une expérience qui vous laissera aussi ramollie que de la guimauve.

AMORE PACIFIC

114 Spring St. (entre Mercer et Greene St.) ☎ 212 966 0400
www.amorepacific.com

Si vous vous sentez l'âme princière et qu'un moment de relaxation vous est indispensable, courez chez Amore Pacific. La marque de cosmétiques coréenne fonde ses soins sur les vertus des cinq éléments. Les deux cabines sont des petits cocons dans lesquels les esthéticiennes prodiguent les traitements au son d'une musique asiatique apaisante. Les produits utilisés sont un mélange de crèmes élaborées par la marque et de produits naturels (thé, argile, etc.). Résultat : détente et peau radieuse.

AURA WELLNESS SPA

49 W 33rd St. (entre 5th et 6th Ave.) ☎ 212 695 9559

Dans une rue un peu *seedy* (décatie) de *K Town* (comprenez le quartier coréen de New York), il y a une oasis de bonheur et de plaisir qui vous tend les bras. Aura Wellness Spa est un spa coréen qui propose massages, nettoyages de peau classiques, mais la raison pour laquelle on va là-bas, c'est pour l'*Oriental Body Scrub* : vous êtes allongée nue sur une table de massage, une esthéticienne aussi minuscule que musclée, logiquement prénommée Susie, Gloria ou Marilyn, simplement vêtue d'un maillot de bain et armée d'un gant spécial se charge de laver, poncer, et gommer chaque centimètre carré de votre corps (à l'exception du visage). Vous verrez les peaux

DEVENEZ UNE PRO DU NAIL SALON

Les Coréennes, y'a qu'ça de vrai ! Nous vous recommandons de leur confier vos ongles. Pas la peine de prendre rendez-vous ni de traverser toute la ville, poussez la porte d'un *nail parlor* du quartier où vous logez ou alors d'un établissement rencontré au gré de vos balades. Ne vous laissez pas rebuter par une devanture glauque bardée de néons ou par une salle lugubre dans laquelle s'alignent les tables de *mani* et les fauteuils de *pedi*. En revanche, fuyez si vous jugez l'hygiène limite (bouts d'ongles qui traînent, bacs à pied mal nettoyés, absence de petits fours stérilisateurs et de bocaux remplis d'un liquide bleu pour désinfecter les instruments…). Pour 1 ou 2 $ de plus, certains établissements proposent d'acheter des limes à usage individuel. Vous pouvez aussi apporter votre propre nécessaire à ongles (passez par la case Duane Reade ou CVS pour vous offrir le kit à griffes de la parfaite pintade). Et si vous êtes une inconditionnelle du Rouge Noir de Chanel, pas de problème, apportez votre flacon.

Les esthéticiennes se précipiteront sûrement sur vous en faisant de grands gestes en direction du présentoir à vernis et en criant *« Pick up color ! Pick up color ! »*. D'un air entendu et en fonction de votre humeur, choisissez une couleur parmi les dizaines de nuances de rouges, de roses et de blancs. Si vous faites le *full set* (mains et pieds), sachez qu'on commence toujours par les pieds, confortablement installée dans un fauteuil dont le dossier est souvent vibromasseur. N'ouvrez pas des yeux ronds quand, au moment d'attaquer la manucure, votre esthéticienne, qui risque de mal maîtriser l'anglais, vous pose des questions incompréhensibles. La première question : *« Just push back or cut ? »* signifie « Voulez-vous que je coupe vos cuticules ou bien que je les pousse simplement ? ». La deuxième question : *« Round or square ? »*, c'est pour savoir si vous voulez qu'elle donne à vos ongles une forme ronde ou carrée (pour info, nous on aime *in between*). Enfin, *« Quick dry ? »* est un produit qui accélère le temps de séchage (superflu selon nous, sauf s'il n'y a pas de station de séchage, mais s'il n'y en a pas, passez votre chemin : aucune New-Yorkaise n'a le temps d'attendre une demi-heure que ses ongles sèchent !).

Si on ne vous le propose pas d'emblée, demandez à payer avant la pose du vernis, pour ne pas ruiner tout le boulot en farfouillant dans votre sac à la recherche de votre portefeuille. N'hésitez pas à vous offrir un petit bonus, comme un massage de 10 minutes ●●●

●●● (généralement 10 $). Après avoir séché, demandez un *plastic wrap* pour emballer vos orteils dans vos chaussures. Vous payerez environ 10 $ pour les mains, 20 $ pour les pieds, mais certains établissements offrent le *full set* pour 20 ou 25 $, et même moins dans des quartiers comme l'East Village ou Brooklyn.

mortes tout autour de vous ! Vous serez ensuite enduite d'huile et de crème. Choisissez la formule « B », et vous aurez en prime droit à un lavage des cheveux et un massage du cuir chevelu. Divin. Résultat : une peau aussi douce qu'un bébé.
Aura est ouvert tous les jours jusqu'à 2 heures du matin. Si le cœur vous en dit après une folle soirée de karaoké dans l'un des clubs voisins…

BODY CENTRAL

99 University Pl. (entre 11th et 12th St.) ☎ 212 677 5633
www.bodycentralnyc.com

C'est l'un des meilleurs plans de massage de la ville. Moins de 100 dollars l'heure sans se retrouver dans un *basement* de Chinatown, c'est quasiment un exploit. Ne vous attendez pas à une ambiance évaporée, on a l'impression d'arriver chez le kiné. Qu'importe, on vient ici pour *the real stuff* : des massages de qualité, une prise en charge holistique supervisée par Jo Ann Weinrib, la chiropracteur propriétaire des lieux.

BUMBLE & BUMBLE

415 W. 13th St. 8th Fl (entre 9th Ave et Washington St.)
☎ 212 521 6500

Vous avez peut-être déjà entendu parler du salon du Meatpacking District. B&B a clairement des allures d'usine, mais ça fait partie des "scènes" beauté. La vue depuis les immenses baies vitrées vaut le détour à elle seule, et puisque vous êtes là, profitez-en pour vous faire couper les cheveux. Nous, on confie nos boucles à Nissan qui jusqu'à présent s'en est toujours très bien sorti. Mais on doit vous dire que certaines de nos copines ont eu de mauvaises expériences. C'est un peu cher pour ce que c'est, mais pas plus qu'ailleurs à New York.

CHRISTINE CHIN

82 Orchard St. (entre Grand & Broome St.) ☎ 212 353 0503
www.christinechin.com

Elle est méchante, elle est cruelle, et c'est pour ça que ses clientes en redemandent. Christine est l'exterminatrice de points noirs. Ses nettoyages de peau ne laisseront pas un *pimple* survivre. Quand on parle comédon, elle est sans pitié. Elle est aussi la papesse du sourcil. Elle a une règle d'or qu'elle applique de façon mathématique pour mettre en ordre nos follicules. Son cheptel de célébrités la suit fidèlement et révérencieusement, c'est-à-dire qu'elles ne s'avisent pas de s'épiler les sourcils elles-mêmes. Elles savent trop bien que Christine ne le leur pardonnerait pas et qu'elle n'hésiterait pas à les plaquer. Perdre une cliente, pour Christine ce n'est rien, mais perdre son gourou des sourcils, pour un mannequin c'est fatal.

Completely Bare

103 5th Ave. (entre 17th et 18th St.) ☎ 212 366 6060
www.completelybare.com

Comme son nom l'indique, Completely Bare s'est donné pour mission de rendre nos corps totalement dénudés. Ici, on traque le poil disgracieux avec un dévouement qui frise l'obsession. Les esthéticiennes utilisent les techniques les plus traditionnelles (cire chaude parfumée) comme les plus perfectionnées (pistolet laser destructeur de bulbes pileux). Le fond de commerce du salon de beauté, c'est l'épilation du maillot, le fameux *Brazilian bikini*. Le poil pubien n'a vraiment plus droit de cité. Malgré la douleur (cela dit, les techniciennes savent faire ça vite et bien), les New-Yorkaises ont juré de faire la peau au poil (à moins que ce ne soit le contraire) et Completely Bare est leur terrain de prédilection.

Dashing Diva

41 E 8th St. (entre Broadway et University Pl.) ☎ 212 673 9000
Multiples adresses. www.dashingdiva.com

C'est la *nails chain* qui monte, qui monte, qui monte. Le premier *parlor*, qui a ouvert sur 8th Street en octobre 2003, n'en finit plus de faire des petits, à New York mais aussi dans le reste du pays et en Asie. Il faut dire que la formule a de quoi séduire : une déco rigolote, un choix vertigineux de vernis, une hygiène impeccable et des esthéticiens coréens qui connaissent leur business. Tous les jeudis et vendredis soirs, c'est *Girls' night out* : on sirote un Cosmo en se faisant faire les ongles et en discutant avec les copines (mieux vaut réserver à l'avance). Pour faire sa pintade une fois rentrée en France, on peut rapporter des kits de faux ongles *funky*.

Go Girl

193 E 4th St. (entre Ave. A et B) ☎ 212 473 9973
www.eastfour.com

Des illustrations *girlie* rose bonbon ornent les murs blancs, les produits utilisés, de la marque east four, sentent bon les fruits acidulés, mais surtout, le *catch* de Go Girl, c'est que les esthéticiennes prennent le temps de nettoyer toutes ces vilaines cuticules, de délasser les pieds les plus fatigués avec un bon massage et de poser le vernis au millimètre près. Une ambiance agréable et une facture tout à fait raisonnable. Moralité : *Go girl, go !*

Graceful Services

1095 2nd Ave. (entre 57th et 58th St.) ☎ 212 593 9904

www.gracefulservices.com

Une bonne adresse pour libérer son Qi (prononcer Chi). Les masseuses savent à peu près tout faire (*Chinese, Swedish, Shiatsu, reflexology*) et elles le font bien. C'est un peu moins spartiate que les *basements* de Chinatown : les tables sont chauffantes et séparées par un rideau blanc ; du coup, on peut retirer ses vêtements. Gros plus, le tarif : 60 $ les 60 minutes. L'établissement fait aussi des soins du visage et des épilations, mais on ne les a jamais testés.

La Prairie at The Ritz-Carlton Spa

50 Central Park South (entre 5th et 6th Ave.) 2e étage

☎ 212 521 6135

www.ritzcarlton.com/hotels/new_york_central_park/spa/

On sait, on sait, c'est hors de prix. La Prairie fait partie des spas de luxe décadent dont New York a le secret. Le personnel devance vos moindres désirs, les produits de la célèbre marque suisse sont une caresse sur la peau. L'astuce, c'est de s'offrir un mini *facial* d'une demi-heure, 120 $ tout de même, mais on ressort tellement détendue et avec un tel *glow* qu'on ne regrette pas cette folie.

Maria Bonita

12 Prince St. (entre Bowery et Elizabeth St.) ☎ 212 431 1520

www.mariabonitany.com

Enfin une alternative aux J Sisters. Si, pour vous, le *Brazilian bikini* doit être fait par une Brésilienne, alors le salon Maria Bonita est votre destination de choix. Les prénoms des patronnes ne commencent pas par des J, mais elles savent manier la bandelette et la pince à la perfection. Elles ont une ribambelle de clientes mannequins qui ne jurent que par elles, elles font aussi des manucures et, comble du bonheur, elles sont dans NoLIta. De quoi s'épargner un voyage vers *gloomy* Midtown qu'on laisse volontiers aux accros des J Sisters. Et en plus, ce sont parmi les tarifs les moins chers de la ville.

Sally Hershberger Face place

425 W 14th St. (entre 9th et 10th Ave.) 3e étage ☎ 212 367 8200

www.sallyhershbergerfaceplace.com

Sally Hershberger, la coiffeuse qui a provoqué une inflation de près de 100 % de la coupe de cheveux la plus chère de Manhattan quand elle a ouvert son salon en 2004, se lance dans l'esthétique. La native de Californie a importé les soins du visage de l'institut The Face Place, la Mecque du *facial* à Los Angeles (le teint de pêche de Michelle Pfeiffer, c'est eux). The Face Place a mis au point tout un protocole, utilisant de la sève de yucca ainsi que des courants électriques sensés provoquer un effet tenseur sur les muscles du visage.

LA SHOPPING LIST DU DRUGSTORE

Si en France, on trouve des pharmacies à tous les coins de rue, à New York, ce sont les drugstores qu'on trouve partout, ces fameux magasins qui vendent à la fois des médicaments, des cigarettes, des cosmétiques et à peu près n'importe quoi de non périssable (cartes de vœux, biscuits salés, collants, eaux minérales, lunettes de lecture...). Les rayons sont souvent chaotiques pour ne pas dire bordéliques, les vendeuses sont plutôt exécrables, mais les drugstores comme Duane Reade, CVS et autres Rite Aid proposent des produits de beauté simples et efficaces. Même si la mondialisation est galopante, il y a encore tout un tas de produits qu'on trouve difficilement en France ou qu'il est meilleur marché d'acheter à New York. Il y a dix ans, on remplissait ses valises de Carmex, le baume qui fait les lèvres toutes douces. Aujourd'hui, voici les incontournables, à rapporter absolument :

- **le talc Gold Bond Body Powder**
- **les bonbons Altoïds** parfum *tangerine*, *citrus sour* et *raspberry*
- **les sels Epsom salts**, des laxatifs utilisés en sels de bain pour leurs vertus relaxantes (donc abstenez-vous de boire l'eau du bain !)
- **la lotion pour le corps Eucerin**
- **la crème Aquaphore** ultra nourrissante
- **la crème A+D,** conçue à l'origine pour soigner les fesses des bébés et que les femmes ont allégrement détournée pour avoir les mains douces
- **le déodorant Mitchum** sans parfum
- **le dentifrice Tom's of Maine**
- **les produits capillaires Rusk et Sebastian**
- **le mascara Max Factor**
- **le durcisseur Nail Protein Formula 2** de Nailtiques pour ongles cassants
- **des pinces et barrettes** pour les cheveux
- **des éponges à maquillage en latex**
- **un nécessaire pour se faire les ongles** (limes, coupe cuticules, *cuticle stone*...)
- **le collyre Visine** contre les yeux rouges
- **les comprimés Aleve** qui soulagent les douleurs menstruelles
- **la lotion astringente *witch hazel*,** un *must* pour la toilette intime, qui soulage également les bobos post-accouchement, notamment d'ordre proctologique. Pardon les filles, c'est pas très glamour, mais on est là pour vous donner de vrais tuyaux.

Une chose est sûre, les extractions sont vigoureuses, mais comme dit l'adage, il faut (un peu) souffrir… Plus besoin d'aller à LA pour avoir mal et être radieuse. L'endroit est comme Sally : *as hip as hip can be.*

SILK DAY SPA
47 W 13th St. (entre 5th et 6th Ave.) ☎ 212 255 6457
www.silkdayspa.com
Une débauche de soie, c'est ce qui caractérise ce spa du West Village. Un questionnaire détaillé vous permet de choisir la prolixité de votre esthéticien(ne), le type de musique, son volume, ou encore la température de la table de massage. Bref, une expérience sur mesure. Les traitements sont absolument enchanteurs. Au menu : massages, soins du visage, épilation, manucure et pédicure. Il y a tout ce qu'il faut dans le vestiaire : lotions, crèmes, déodorants, etc. et les peignoirs sont sublimement soyeux, tout simplement.

SKINCARELAB
568 Broadway (entre Houston et Prince St.), Suite 403
☎ 212 334 3142 www.skincarelab.com
C'est l'autre spa du Prince Building dans SoHo, et il est bien mieux que Bliss, l'usine new-yorkaise à exfolier. SkinCareLab est à taille humaine, les esthéticiennes sont aimables. Au départ, le spa a été conçu pour les hommes. Ils proposent d'ailleurs beaucoup de soins qui leur sont spécifiquement destinés et la déco est résolument masculine. Mais les femmes ne s'y sont pas trompées en s'emparant de l'établissement. On vous recommande d'en faire autant. Petit tuyau : ce sont les *Brazilian bikinis* les moins douloureux de la ville.

SLEEK MEDSPA
800B 5th Ave. (angle 61st St.) ☎ 212 521 3100
www.sleekmedspa.com
Chez Sleek Medspa, pas de *pampering*, pas de papouilles, au contraire. On vient ici pour des traitements à mi-chemin entre la cosméto et la dermato. D'ailleurs, toutes les esthéticiennes ont une formation d'infirmière. On « laserise », on « botoxe », on « abrasionne » à tour de bras. Tout est bon pour effacer la ride disgracieuse, traquer le relâchement cutané. Peelings chimiques, acide glycolique, injections de collagène. Sleek Medspa est le centre de beauté *hardcore* de New York.

SOHO SANCTUARY
119 Mercer St. (entre Spring et Prince St.) 3e étage
☎ 212 334 5550 www.sohosanctuary.com
SoHo Sanctuary est un refuge pour faire une pause dans le tumulte

de New York. Le spa, tout en bois blond et murs blancs, est un cocon qui inspire la sérénité. Visitez la *steam room* après votre massage ou avant votre *facial*. Dans la salle de relaxation, vous trouverez des tisanes et des snacks à grignoter. Le spa utilise des produits à base de plantes, comme les crèmes du Dr Haushka. Et, comble de bonheur, non seulement l'esthéticienne ne pousse pas à la consommation, mais elle offre même des échantillons. Ah, maintenant, vous pouvez vraiment vous relaxer.

SPA AT THE MANDARIN ORIENTAL
80 Columbus Circle (angle 60th St.) ☎ 212 805 8880
www.mandarinoriental.com
Un spa à la hauteur des attentes des mandarins de la ville, et de leurs concubines. Dès l'entrée, le luxe enveloppe les clients. Vestiaires aux proportions augustes, salle aquatique avec mini-piscine à remous, douche avec différents jets (brouillard, pluie tropicale, etc.), et un hammam magnifiquement carrelé. Les soins sont facturés 232 $ l'heure (50 minutes en réalité !). Le principe, c'est de réserver du temps et de choisir votre traitement une fois sur place et selon vos envies. Ensuite, dégustez une tasse de thé en admirant la vue depuis la salle de repos. Parmi les meilleurs spas de la ville, mais les prix sont proportionnels à la sérénité atteinte après un soin.

Les boutiques

AEDES DE VENUSTAS
9 Christopher St. (entre Gay St. et Wavery Pl.) ☎ 212 206 8674
www.aedes.com
Temple de beauté en latin, Aedes de Venustas est une belle parfumerie aux allures de boudoir. Les Européens sont largement représentés. On y trouve des senteurs du monde entier, tout ce qu'il faut pour parfumer le corps, les cheveux, la maison. Et si l'ambiance peut paraître exclusive, le service est en fait très avenant.

C.O. Bigelow Chemists

414 6th Ave. (entre 9th et 10th St.) ☎ 212 533 2700
www.bigelowchemists.com

Ce n'est pas un drugstore, c'est le plus ancien apothicaire des États-Unis. C'est ici que, depuis 1838, les New-Yorkaises du West Village viennent acheter leurs médicaments et leurs onguents. Les pharmaciens – on jurerait que certains étaient déjà là à l'ouverture – fabriquent savons, lotions et potions merveilleuses derrière leur comptoir au fond du magasin. On aime la déco *old charm*. Bon, c'est sûr que, comparé à certaines pharmacies françaises datant du XVIIIe, Bigelow fait jeunot, mais aux États-Unis, c'est rafraîchissant de voir une institution vieillir gracieusement. Allez-y pour leurs produits de soin maison (on adore le 007, la crème pour les mains du Dr Hiosous) ou bien pour refaire le plein de produits français ou italiens (*by the way*, si vous ne connaissez pas les produits capillaires italiens Terax, allez les découvrir).

Fresh

Adresses multiples ☎ 212 396 4545
www.fresh.com

Nous sommes des inconditionnelles des Sugarbath Cubes, les sucres de bain effervescents au lychee ou au *lily* (muguet), et du Brown Sugar Body Polish, une pâte exfoliante qui rend la peau soyeuse. Le packaging de Fresh est aussi chouette que les produits sont agréables, à base d'ingrédients naturels (lait, soja, riz, sucre brun, chocolat…) et d'huiles essentielles. Cette marque bostonienne compte cinq boutiques à New York. Si vous n'avez pas encore mis les pieds dans celle qui a récemment ouvert à Paris, faites-le à Manhattan.

Kiehl's

109 3rd Ave. (angle 13th St.) ☎ 212 677 3171 www.kiehls.com

C'est LA marque de beauté que l'on trouve dans la salle de bains des New-Yorkais. Voilà plus de 150 ans que cet apothicaire de l'East Village concocte des produits de soin du visage, du corps et des cheveux. Depuis que l'entreprise familiale a été rachetée par l'Oréal, la boutique est beaucoup plus grande (il y a même un café) mais l'esprit reste le même : des produits de qualité, sans colorant, très rarement parfumés (du coup, leur odeur est parfois un peu déroutante). Un mélange de cosmétique, de botanique et de pharmaceutique, dont le succès ne se dément pas. Parmi les best-sellers qui durent : Creme de Corps, Abyssine Cream, Blue Astringent, et Lip Balm. On adore se faire conseiller par les vendeurs, toujours dispos et qui ne lésinent pas sur les échantillons gratuits. Même si on trouve maintenant les produits Kiehl's à Paris, il faut impérativement venir faire un tour dans la maison mère.

Ricky's
Adresses multiples www.rickys-nyc.com

Cette mini-chaîne spécialisée dans la beauté est devenue un phénomène new-yorkais. Sa clientèle est aussi éclectique que les produits que l'on y trouve. Des dizaines et des dizaines de modèles de brosses et de pinces à cheveux, un choix quasi exhaustif de shampoings américains, des perruques et des extensions de toutes les couleurs, des faux *tattoos*, des produits cosmétiques, des *best-sellers* rétro comme le baume Rosebud Salve pour les lèvres et la brillantine Oribe Pommade pour les cheveux. Ricky's est également connu pour ses costumes d'Halloween. Comme c'est un bazar new-yorkais, on trouve même un rayon pour adultes, séparé par un rideau, pour faire provision de *sex toys*. Et maintenant, il y a aussi une version bio, Ricky's Natural Shop, et une version *kids*, Lil'Ricky's.

Notes : La poule peinte

Pintades musclées

Nos adresses pour avoir la chair ferme

« Get in shape ! » C'est le mot d'ordre local. À vous de choisir vos armes. Yoga, jogging, Pilates ou StairMaster. Mais qu'est-ce qu'une méthode sans un bon instructeur ? *Lucky you !* Vous avez une panoplie de profs talentueux qui ont pour seul désir de voir vos abducteurs et vos triceps se tonifier. Vous n'avez aucune excuse d'être une *« couch brioche »*, la version française de la *« couch potato »*.

Clubs de fitness

CHELSEA PIERS SPORTS & ENTERTAINMENT COMPLEX
23rd St. (angle Hudson River, Piers 59-62) ☎ 212 336 6666
www.chelseapiers.com

Au temps où New York était une ville industrielle, les *piers*, les docks, étaient en constante activité sur l'Hudson River. Mais quand le fret maritime s'est déplacé sur l'autre rive, dans le New Jersey, l'idée a germé de créer un ensemble sportif qui donnerait des complexes à tous les clubs de banlieues chics. À Chelsea Piers, on peut pratiquer à peu près tous les sports, y compris le golf, l'escalade, le patin à glace et les barres asymétriques. Les équipements et les machines sont du dernier cri (à l'exception des gants de boxe qui sont puants). Rien de tel que de nager dans la piscine le soir, en admirant le coucher du soleil sur la rivière. Bref, Chelsea Piers est un centre génial, qui a le seul défaut d'être un peu excentré.

EQUINOX FITNESS CLUB
Adresses multiples www.equinoxfitness.com

La chaîne américaine de *fitness* offre tout ce qu'il faut pour nos pauvres deltoïdes et autres *gluteus maximus* ramollis. Cours de yoga avec Michael (Lechonczak), *spinning* ou Urban Rebounding avec Gregg (Cook, *he is soooo hot*), ou encore *IntenSati* avec Patricia (Moreno). Avec un régime comme ça, vous n'aurez plus rien à envier à Angelina Jolie (sauf son mec). La salle étendard se trouve sur Lexington et 63rd St. Notre préférée : Broadway et 19th St.

GLEASON'S GYM
83 Front St. (entre Main et Washington St.) Brooklyn
☎ 718 797 2872 www.gleasonsgym.net

Si vous êtes une pintade aux instincts pugilistiques exacerbés, alors, foncez à Gleason's gym. La légendaire salle de boxe (c'est là que Bobby De Niro s'est entraîné pour le tournage de *Raging Bull*), dans le quartier de Dumbo à Brooklyn, a conservé toute sa saveur. L'endroit est un peu déglingué, mais on ne vient pas là pour faire la belle. On vient pour boxer. À n'importe quelle heure de la journée, l'endroit bourdonne comme une ruche. *Jab, jab, uppercut, jab*, le tout rythmé par le gong des rounds qui se succèdent. Et si l'endroit exsude la testostérone, rassurez-vous, vous ne serez pas les seules filles venues vous frotter aux méthodes de Mohamed Ali et de Jake La Motta. C'est d'ailleurs ici qu'Hilary Swank s'est préparée pour son rôle dans *Million Dollar Baby*.

CENTRAL PARK

Poumon *(n, m.)* : organe qui permet la respiration. Une définition qui convient parfaitement à Central Park. Quand les New-Yorkais ont besoin d'un bol d'air, c'est là qu'ils foncent. *Inhale, exhale.* On y pratique tous types de sports : course à pied, vélo, équitation, rame, kendo, yoga, Tai Chi Chuan, rollerblades et même croquet. Comme on dit ici : *you name it, they've got it.*

En hiver, la patinoire est un *must-do*, romantique à souhait. Ne vous découragez pas devant la queue en face de Woolman Rink, optez pour l'autre patinoire, Lasker Rink, à hauteur de la 108e rue et qui, l'été venu, est convertie en piscine.
Pour les fans de rollers, rejoignez les habitués de Central Park Dance Skaters Association pour vous déchaîner en musique sur la piste. Bonne humeur garantie.
En mal de sensations fortes, participez à un *bootcamp*, un entraînement de style militaire. Rendez-vous à 5 heures du mat' et ne vous avisez pas d'être en retard. Sinon, vous devrez faire 20 pompes supplémentaires ! Il existe plusieurs cours avec des profs (et des intensités) différents. On aime bien Stacy qui met un point d'honneur à ne pas humilier ses élèves.
D'autres options : un tour de vélo pour explorer les 10 kilomètres de pistes cyclables, courir autour du Reservoir, faire du Kendo au lever du soleil ou bien même de la barque sur le lac artificiel. Le club de gym Crunch offre des cours de yoga dans le parc, depuis son centre de 83rd Street.
Et si rien de tout cela ne vous inspire, on recommande chaudement de buller sur une pelouse. Ah, l'oisiveté, la forme d'exercice la plus achevée.

Wollman Skating Rink : 63rd St. ☎ 212 439 6900
Lasker Rink and Pool : Mid-Park entre 106th et 108th St.
☎ 212 534 7639
Location de rollers : Blades West (20 $/24h) 156 West 72nd St. (entre Columbus et Amsterdam Ave.) ☎ 212 787 3911
Location de vélos : Loeb Boathouse 74th St. et East Drive (de 9 à 15 $/heure) ☎ 212 517 2233
Location de barques : Loeb Boathouse 74th St. et East Drive
☎ 212 517 3623

●●●

●●●
Central Park Dance Skaters Association : www.cpdsa.org
Stacy's bootcamp : www.stacysbootcamp.com
Crunch : 162 W 83rd St. ☎ 212 875 1902 www.crunch.com
North Meadow Recreation Center : Mid-Park vers 97th St. ☎ 212 348 4867
Site officiel de Central Park : www.centralparknyc.org

Jivamukti Yoga School

841 Broadway (entre 13th et 14th St.) ☎ 212 353 0214
www.jivamuktiyoga.com

Pour les puristes, ceux qui veulent un cours de yoga prodigué entièrement (ou presque) en sanskrit, qui raffolent de la méditation, Jivamukti est pour vous. C'est le centre de yoga de référence à New York, là où bon nombre de célébrités (Christy Turlington, Sting) sont allées peaufiner leurs postures de *downward facing dog,* enfin on veut dire bien sûr leurs *Adho Mukha Svanasana*. Le centre propose des cours de yoga Jivamukti, un style vigoureux, parfois même extrême. Attention, certains disent que les cours sont surchargés, que les profs ne corrigent pas les postures et que les blessures ne sont pas rares.

Laughing Lotus Yoga Center

59 W 19th St. (entre 6th et 5th Ave.) 3e étage ☎ 212 414 2903
www.laughinglotus.com

Comme vous le savez, le yoga est l'une des activités les plus populaires de la ville et Laughing Lotus est là pour le prouver. Ce centre, très accueillant avec ses studios peints en jaune, rose et orange, propose des cours dont la plupart sont des déclinaisons du yoga Vinyasa. Tous les niveaux sont les bienvenus. Le Midnight Yoga du vendredi soir est un *must-do*. Et si vous venez en famille, vous aurez peut-être envie d'initier Junior (s'il a plus de 4 ans) au Happy Family Yoga. Les tarifs sont compétitifs (11 $ l'heure). Seul bémol, les cours sont parfois pris d'assaut et on se sent un peu à l'étroit sur son *sticky mat*. D'une façon générale, mieux vaut arriver un quart d'heure en avance.

Pat Hall at Mark Morris Dance Group

3 Lafayette Ave. (entre Ashland et Rockwell Pl.), Brooklyn
☎ 718 390 7431 www.pathalldance.com

Prendre un cours de danse afro-caribéenne le samedi après-midi avec Pat Hall, c'est participer à un rituel tribal qui donne la pêche pour le reste de la semaine. Le charisme et le fluide de cette prof

HUDSON RIVER PARK

Avec Central Park, cela fait partie des endroits favoris des New-Yorkais pour enchaîner les tours de pédales, et il est facile de comprendre pourquoi. En quelques années, l'immense projet d'aménagement, toujours en cours, des berges de l'Hudson River a totalement métamorphosé l'Ouest de Manhattan. De Battery Place, tout au sud, jusqu'à 59th street, cyclistes, *runners*, rollers et promeneurs du dimanche se baladent sur les huit kilomètres de pistes cyclables et de promenade de l'Hudson River Park, avec des vues à couper le souffle sur la rivière et sur les buildings du West Side.

Quant au choix de l'activité physique, *it's really up to you* ! Vous pouvez évidemment louer un vélo et remonter toute la piste, qui va en réalité jusqu'au Georges Washington Bridge (178th street) ! Pour découvrir les gratte-ciels sous un autre angle, empruntez, gratuitement, l'un des kayaks de Downtown Boathouse. Si cette association de bénévoles est en rupture de stock, rabattez-vous sur New York Kayak Company qui loue des kayaks et organise des visites sur l'eau.

En cas d'humeur acrobatique, allez donc prendre une leçon de trapèze à la Trapeze School. La tête en bas, la vue est aussi magique tôt le matin qu'une fois la nuit tombée.

Pour les amateurs de skate et de *rollerblades*, un *skate park* gratuit est dispo au Pier 26. On peut aussi jouer les Yankees et s'essayer au baseball dans les *batting cages* installées sur la promenade (battes et casques sont gracieusement prêtés). Ou alors mettre quelques paniers sur un terrain de basket. Ou encore disputer une partie de ping-pong ou de volleyball au Pier 25.

Pour tout savoir sur les activités de Hudson River Park : www.hudsonriverpark.org

Location de bicyclettes à Riverbikes, d'avril à octobre
☎ 212 967 5444, à Pier 84, au niveau de W 44th St., et à Pier 26, au niveau Hubert St.

Downtown Boathouse au Pier 26, au niveau de Hubert St. Ouvert de mi-mai à mi-octobre le week-end et tous les jours pendant les vacances. www.downtownboathouse.org
☎ 646 613 0375

Un autre *boathouse* est situé près de Chelsea Piers, au Pier 64 au niveau de 24th St.

New York Kayak Company au Pier 40, au niveau de W Houston St. www.nykayak.com ☎ 212 924 1327 ●●●

●●● **Trapeze School New York**, au sud de Canal St., entre Pier 34 et Pier 26 www.trapezeschool.com ☎ 917 797 1872
Skate Park au Pier 26, au niveau de Hubert St.
Batting Cages au nord de Chambers St.
Deux terrains de **basket**, au nord de Chambers St. et au niveau de 23rd St.
Ping-pong et **volley-ball** au Pier 25, au niveau de N. Moore St.

d'origine haïtienne vous feront tenir jusqu'au bout des deux heures de rythmes endiablés, impulsés par les percussionnistes. La ronde de la fin permet à ceux qui le souhaitent de laisser libre cours à leur énergie, certains entrant littéralement en transe. On finit sur les genoux mais béat.

Pure Power Bootcamp

38 W 21st St. (entre 5th et 6th Ave.) ☎ 212 414 1886
www.purepowerbootcamp.com

Pour ceux que rien ne motive, Pure Power Bootcamp est peut-être la solution. Pas question ici de rester avachi. Lauren, la propriétaire qui fait office de sergent recruteur, est plutôt du genre amour vache. Elle prend un plaisir visible à hurler sur ses clients (sans jamais les humilier) et leur demande de faire des exercices épuisants et périlleux (escalader un mur de cordes, sauter par-dessus un mur, ramper sous des barbelés) dans le plus pur style militaire. Et ses clients de s'exécuter *prontissimo*. Elle garantit des résultats visibles en 6 semaines.

Radu Physical Culture

The Plaza Hotel, 1 Central Park South (angle 5th Ave.)
☎ 212 581 1995

OK, vous voulez connaître un vrai secret de beauté ? Pourquoi les stars de Hollywood ont-elles des C.D.D. (Corps De Déesse) ? Eh bien, c'est parce qu'elles font de la gym comme des folles. Et nombreuses sont celles qui suivent la méthode de Radu, le gourou du *fitness* new-yorkais (Cindy Crawford, J.Lo, Sarah Jessica Parker, pour n'en mentionner que quelques-unes). Et chez Radu, on sue son paquet de sueur, on souffre, on crie, on pleure et *ohhh yes give me one more rep !* on finit avec un C.D.D. Les cours sont animés par des profs formés aux techniques du maître roumain. C'est intense, ludique (façon cours de récré quand on avait 10 ans. Corde à sauter, *anyone* ?), totalement aérobic, et à un tel rythme (5 fois par semaine), vous aussi, vous aurez le corps qu'il faut pour fouler le tapis rouge.

Sal Anthony 's Movement Salon

190 3rd Ave. (angle 17th St.) ☎ 212 420 7242
Multiples addresses www.movementsalon.com

À New York, se reconvertir n'est jamais un problème. Anthony Macagnone a passé plus de 30 ans à parfaire sa sauce marinara. Et puis, un jour, il a décidé que dans la vie, il n'y avait pas que la panse. Nouveau *focus* : abdos et deltoïdes. Il a ouvert des studios de Pilates, de Gyrotonic et de yoga aux quatre coins de Downtown Manhattan, pour tonifier les ventres alourdis par trop de spaghetti all'arabiatta. Les studios sont bien équipés, les profs compétents et pour New York, c'est pas cher. Vous pouvez aussi booker un massage et depuis peu, acheter des fleurs. Anthony, cuisinier, *fitness guru* et jardinier. *Only in New York.*

Yamuna Body Rolling

132 Perry St. (entre Washington et Greenwich St.)
☎ 212 633 2143 www.yamunastudio.com

Un espace *lofty* et spacieux, le studio respire le calme. Parquet de bois blond sur lequel tout le monde marche pieds nus. Yamuna a mis au point deux méthodes : Yamuna Body Logic et Yamuna Body Rolling. Elle utilise des balles de tailles et de fermetés différentes pour décontracter les muscles et créer de l'espace dans les articulations. Du moins, c'est ainsi que les instructeurs expliquent la technique. En clair, on roule sur la balle qui sert à la fois de support et d'amortisseur. Un exercice à mi-chemin entre le massage et le cours de remise en forme. Parmi les cours collectifs, des cours de *fitness* des pieds. Un *must-do,* paraît-il, pour supporter plus facilement les talons aiguilles de Manolo et de Louboutin.

JEANS ET SNEAKERS

BONNES AFFAIRES ET EXCLUS LULU

« Dis, tu sais où j'peux trouver un Levis pas cher ? Et les dernières Converse bidules ? » À peine remises du décalage horaire, c'est l'une des premières questions que posent nos copines fraîchement débarquées de France. Nous leur faisons invariablement la même réponse : « Va sur Broadway, entre Houston et Canal, tu trouveras forcément ton bonheur ». Comme vous le savez, New York est le royaume du sportswear, donc vous ferez de bonnes affaires dans ce domaine. C'est aussi le royaume des *sneakerheads*, ceux qui sont prêts à tout pour posséder LA paire de *sneakers* (tennis) *limited-edition*. Si vous en faites partie, vous trouverez certainement chaussures à vos pieds dans les boutiques cool, *revival* de la culture skate et

●●●

●●● hip-hop, en particulier du Lower East Side et de NoLIta.

Classic kicks : 298 Elizabeth St. (entre Bleecker et Houston St.) ☎ 212 979 9514. Pour les amateurs de modèles rétro (Vans, Reebok, Le Coq Sportif, Puma, Nike...).

Nort 235 : 235 Eldridge St. (entre Stanton St. et E. Houston St.) ☎ 212 777 6102. Les nouveaux modèles de Nike y sont souvent vendus en avant-première.

Flight Club : 120 Nassau St. (entre Ann St. et Beekman St.) ☎ 212 233 7178. On y trouve des modèles vintage ou des éditions limitées (Nike, Jordan Brand, Adidas, New Balance, A Bathing Ape...), importés du monde entier.

Alife Rivington Club : 158 Rivington St. (entre Clinton et Suffolk St.) ☎ 212 375 8128. L'entrée, très discrète, cache une boutique qui fait autorité quand il s'agit de trouver les dernières Jordan ou Woven.

Transit : 665 Broadway (entre Bond et Bleecker St.) ☎ 212 358 8726 et **Active Warehouse** : 514 Broadway (entre Spring et Broome St.) ☎ 212 965 2284. Grande variété de marques et de prix, aussi bien pour les jeans que pour les tennis.

Rubber Sole : 740 Broadway (entre Astor et Waverly Pl.) ☎ 212 598 9436 ; bon choix de Converse à environ 35 $.

Canal Jean Co : 718 Broadway (entre Waverly et Washington Pl.) ☎ 212 226 3663 ; bon assortiment de jeans, notamment de Levis.

OMG Inc : 428 Broadway (entre Howard & Canal St.) ☎ 212 925 5190. Grand choix de jeans.

Si vous croisez un vendeur dans la rue qui propose des jeans Seven for all mankind ou des Citizens of Humanity à 40 $, ce ne sont pas des contrefaçons... Sont-ils tombés du camion ? Pas impossible.

Un conseil : à moins d'avoir vraiment envie d'un modèle que vous ne trouvez nulle part ailleurs, n'achetez rien dans une boutique Levis ou à Niketown, vous y payerez le prix fort.

Notes : Pintades musclées

Le plumage

Nos adresses de shopping

Warning. Même les moins matérialistes d'entre nous peuvent être pris de fièvre acheteuse à New York et se transformer en *serial shoppers*. Cette ville est une tentation permanente. Tout est disponible, en profusion, jour et nuit. Pas seulement le sportswear et les gadgets. Les *local designers* de vêtements, de déco et de mobilier débordent de créativité. En une dizaine d'années, New York est devenue une capitale effervescente de la mode, où les filles suivent les tendances avec une ferveur quasi panurgienne. Nous avons choisi de vous faire découvrir quartier par quartier les boutiques et les créateurs que nous aimons ou qui comptent.

TriBeCa
Village industriel

TriBeCa, ancien quartier industriel dans les années 40, s'est métamorphosé ces 15 dernières années. Mais le charme des rues pavées, des entrepôts aux proportions gigantesques, des immeubles de briques avec leurs façades de fonte et leurs colonnes, est resté intact. Ici, les rues ont des noms : Leonard, Franklin, Harrison, etc. Comme on est presque au bord de la rivière, il y fait toujours plus frais (bien en été, terrible en hiver !). Le quartier pullule de galeries. C'est une bonne idée d'aller là où vos pieds vous portent, de vous perdre dans le dédale des rues.
Ne manquez surtout pas Staple Street, dans laquelle se trouve une magnifique passerelle reliant deux immeubles qui bordent la ruelle. Quant au shopping, les boutiques sont éparpillées, peu nombreuses (beaucoup de magasins de déco), alors si vous passez par-là, voici notre sélection :

Behrle est l'experte du cuir. Vous pouvez vous faire faire des robes, pantalons, corsets en cuir ou peau. Un vrai travail d'orfèvre (la liste des clients inclut, entre autres, David Bowie et Iman). Uniquement sur rendez-vous. Steven Alan est la boutique de vêtements décontractés chics. Quelques pièces vintage de belle qualité, des bougies et des produits de beauté.
Avant de quitter TriBeCa, enfin, Urban Archaeology rassemble une multitude d'objets anciens récupérés au gré des démolitions d'immeubles : baignoires, lampes industrielles, statues, portes en fer forgé. Tous les objets qui font le caractère de New York sont à vendre dans cet entrepôt.

BEHRLE
89 Franklin St. (entre Church St. et West Broadway)
☎ 212 279 5626 www.behrlenyc.com

STEVEN ALAN
103 Franklin St. (entre Church St. et West Broadway)
☎ 212 343 0692 www.stevenalan.com

URBAN ARCHAEOLOGY
143 Franklin St. (entre Hudson St. et West Broadway)
☎ 212 431 4646 www.urbanarchaeology.com

BRING OUT THE BOOZE

New York est une ville libérale où l'on a tous les droits, mais, petite concession à l'hypocrisie puritaine, il y est interdit de boire de l'alcool sur la voie publique. Si vous apportez une bouteille de vin à un ami qui vous invite à dîner (c'est la tradition), vous ne pouvez pas la montrer dans la rue, il faut la cacher dans un sac. La bière s'achète dans les supermarchés et les *delis,* mais le vin et les alcools forts s'achètent dans les *liquor stores*. Ils sont en général ouverts jusque 21h, mais la plupart sont fermés le dimanche. Ça fait partie des bizarreries new-yorkaises, héritage des *Blue Laws* de l'Amérique austère du XVIIe siècle : les *liquor stores* n'avaient pas le droit d'ouvrir le jour du seigneur. Et la loi a beau avoir changé, depuis 2003 seulement, beaucoup de magasins ont gardé cette habitude.

C'est sans doute à New York que l'on trouve la plus grande variété de vins, des vins du monde entier, en particulier ceux dits du Nouveau Monde. Mais cela reste un produit quasiment de luxe quand on sait qu'il faut dépenser au moins 8 $ pour un vin ordinaire. Voici quelques *liquor stores* où nous avons nos habitudes, pour leur sélection de qualité ou pour leur diversité de prix.

Sherry-Lehmann
505 Park Ave. (angle 59th St.) ☎ 212 838 7500
Astor Wines & Spirits
399 Lafayette St. (entre E 4th et Astor Pl.) ☎ 212 674 7500
Sea Grape Wine and Spirits
512 Hudson St. (entre 10th et Christopher St.) ☎ 212 463 7688
Bottlerocket Wine & Spirit
5 West 19th St. (entre 5th et 6th Ave.) ☎ 212 929 2323
Best cellars
1291 Lexington Ave. (angle 87th St.) ☎ 212 426 4200
Chelsea Wine Vault
75 9th Ave. (entre 15th et 16th St.) ☎ 212 462 4244
Heights Chateau
123 Atlantic Ave. (et Henry St.), Brooklyn ☎ 718 330 0963

Chinatown
Comme son nom l'indique... duh !

Chinatown est une formidable ruche. C'est un quartier en perpétuelle expansion qui a, par exemple, presque totalement grignoté Little Italy. On adore venir se perdre au milieu des vendeurs ambulants de mangues et de gingembre, des paniers de crabes vivants, des aquariums remplis de homards, des étals de poisson (*cf.* Gourmandises, p. 59), des vitrines pleines de canards laqués, des *herbal shops*, des *basements*, les sous-sols, qui abritent les salons de massage Tui-Na, des marchands de gadgets électroniques, des boutiques de souvenirs, en reniflant les effluves qui s'échappent des nombreux bouis-bouis du coin. Un conseil, évitez d'y aller le samedi car les trottoirs sont vraiment trop bondés.

Une immersion dans Chinatown commence forcément par un lèche-vitrine en règle des bijoutiers de Canal Street. Ils dégoulinent d'or clinquant et de jade. Au milieu du kitsch, vous tomberez peut-être sur un beau bijou dont il n'est pas interdit de négocier le prix. Si vous vous demandez comment font les New-Yorkaises pour ne jamais sortir sans leur Vuitton, leur Prada ou leur Chanel, ne cherchez pas plus loin que les minuscules échoppes de Canal Street. Même si vous ne voulez pas acheter une contrefaçon – car c'est illégal –, ne vous privez pas du plaisir de regarder. Et ne paniquez pas si vous vous retrouvez tout à coup enfermé dans une échoppe parce que le vendeur a précipitamment baissé son rideau de fer, ça veut simplement dire que la police n'est pas loin et qu'il rouvrira dans dix minutes. Pour des chinoiseries sympas (sacs et chaussons super jolis), allez à Peony Red. Pearl Paint est un building entièrement dédié aux arts plastiques, avec un choix impressionnant de matériels de dessin, de peinture, de sculpture ainsi qu'un rayon papeterie conséquent. Et bien sûr, il y a Pearl River Mart, un immense bazar d'où il est difficile de ressortir les mains vides tant on y trouve de tout : des robes chinoises, des pyjamas pour les pintadeaux, des kimonos, de la vaisselle japonaise traditionnelle, des baguettes, des lampions, du papier à lettres, des porte-monnaie en soie, mais aussi des soupes instantanées, du thé vert, des bonbons au gingembre, et même le Nutella le moins cher de la ville. Parfait pour se faire plaisir sans se ruiner et pour rapporter des petits cadeaux.

PEONY RED
217 Centre St. (entre Grand et Howard St.) ☎ 212 655 5428

PEARL PAINT
308 Canal St. (entre Broadway et Church St.)
☎ 212 431 79 32 🖱 www.pearlpaint.com

Pearl River Mart
477 Broadway (entre Grand et Broome St.) ☎ 212 431 4770
www.pearlriver.com

Lower East Side
Grungy

Il n'y a pas si longtemps, on descendait dans le Lower East Side pour acheter des tissus au rabais. Aujourd'hui encore, vous trouverez quelques boutiques ringardes où se côtoient des costumes croisés en tergal, des nuisettes satinées qui pendouillent depuis dix ans dans une vitrine éclairée au néon, et des torchons vendus par lots de 10. Il y a aussi les *unisex barber-shops* (on se demande bien quel genre de fille va au barber-shop), tenus par des latinos, qui restent ouverts une bonne partie de la nuit, et des *laundromats* tellement typiques (i.e. glauques) qu'ils en deviennent charmants. Mais *gentrification* oblige, le quartier a vu fleurir des restaurants et des bars *trendy*, et une flopée de boutiques. Certains disent que c'est LE quartier où shopper aujourd'hui. On est moins enthousiastes, même si on reconnaît au quartier ses vertus « shoppistiques». C'est un repaire de boutiques vintage, dont certaines ont de belles pièces de couturiers, et quelques designers attrayants se sont installés dans le coin. Nous avons en revanche de grosses réserves sur les (nombreux) magasins qui vendent des robes sans intérêt, en tissus synthétiques, made in China, à 200 $, et que nous ne mentionnons pas dans ces pages. Voilà donc notre sélection :

Foley+Corinna propose des pièces vintage mélangées à des articles neufs. C'est très bohème. Peggy Pardon fait aussi du vintage. Le choix est restreint mais de qualité, en particulier les robes des années 20. Edith Machinist est une autre boutique vintage. La meilleure selon notre copine Anna. Tout aussi cher que les boutiques voisines, mais ce qui fait son attrait, c'est le choix. C'est notamment là que vous trouverez des bottes vintage au-delà de la pointure 38 ! The Dressing Room est le lieu mode branchouille du quartier. Sélection de designers indépendants et bar/lounge au premier étage.

Ne ratez pas Bluestocking Bookstore, LA librairie contestataire de New York. C'est là que vous ferez le plein de livres et d'idées frondeuses, progressistes, écologiques et même, oserions-nous le dire, communistes ! Et aussi pour feuilleter une page de l'histoire de New York, allez à la boutique du Tenement Museum, le musée des immigrés, pour célébrer le *melting pot.*

Même si nous n'avons pas été terriblement impressionnées (rapport au concept «robe synthétique quelconque – made in China – vendue à 200 $ »), tout le monde ici parle de TG -170. On fait juste passer l'info. On préfère Adriennes, qui fait des robes du soir sur mesure (idéales pour la prom night !) à des prix pas trop raides (comptez 650 $ pour une robe). C'est vrai que certains modèles ne sont pas du meilleur goût, mais le choix est là. Notre boutique préférée dans le quartier, c'est La di Da, qui réunit tout ce qu'on aime : des designs originaux, de belles matières, des tarifs pas prohibitifs, un accueil sympa. Ça nous donnerait presque envie de chanter lalalalalalalalalala-ladida (comme dans Brown Eyed Girl de Von Morrison).

FOLEY+CORINNA
114 Stanton St. (angle Ludlow St.) ☎ 212 529 2338
www.foleyandcorinna.com

PEGGY PARDON
153 Ludlow St. (entre Stanton et Rivington St.)
☎ 212 529 3686
www.peggypardon.com

TG-170
170 Ludlow St. (entre E Houston et Stanton St.)
☎ 212 995 8660
www.tg170.com

ADRIENNES
155 Orchard St. (entre Stanton et Rivington St.)
☎ 212 475 4206
www.adriennesny.com

LA DI DA
147 Orchard St. (entre Stanton et Rivington St.)
☎ 212 529 7384
www.ladidanewyork.com

EDITH MACHINIST
104 Rivington St. (entre Ludlow et Essex St.)
☎ 212 979 9992

THE DRESSING ROOM
75A Orchard St. (entre Grand et Broome St.)
☎ 212 966 7330
www.ladidanewyork.com

BLUESTOCKING BOOKSTORE
172 Allen St (angle Stanton St.)
☎ 212 777 6028

TENEMENT MUSEUM STORE
108 Orchard St. (angle Delancey St.) ☎ 212 431 0233

SoHo
Shopping mall

Depuis 15 ans, SoHo, le quartier des lofts et des artistes, a dégénéré en *shopping mall*. Bloc après bloc, on y trouve les *usual suspects*, Chanel, Vuitton, Burberry, Erès et aussi les Gap, Express, Ralph Lauren, Nicole Miller, Eileen Fisher, mais vous n'avez pas besoin de nos lumières pour découvrir ces mammouths de la mode. Notre sélection de boutiques est non exhaustive car SoHo regorge de magasins. Si vous venez à New York pour faire du shopping, n'hésitez pas à consacrer toute une journée au quartier. Mettez des *sensible shoes* – des chaussures confortables – et préparez-vous à beaucoup marcher.

Nanette Lepore est une jeune designer new-yorkaise dont les collections, un mélange de *casual chic* et de pièces plus sophistiquées, sont très féminines. Ne ratez pas GirlProps, le temple du bijou de pacotille. Les stars et les starlettes (Ashanti, Gwen Stefani, Paris Hilton) vont s'approvisionner là-bas pour leurs apparitions sur MTV ou chez Letterman (l'un des *talk-show hosts* du pays). C'est le summum du *tacky* mais parfois, quelques breloques profanes s'imposent. Toujours au rayon bijoux, nous craquons pour Lazaro Jewelry, un artisan qui fait de superbes bijoux en argent martelé, d'inspiration *native american*, ou encore *biker*. La spécialité de l'endroit, ce sont les pièces sur-mesure. Si vous avez une idée de design, confiez-vous à lui. On aime aussi Operations, une boutique dont les tenues s'inspirent des vêtements de travail. Vous y trouverez de super vestes de camionneur pour l'hiver, des pantalons de *paratroopers* tout à fait sexy avec des talons. La qualité est superbe. Pour rendre vos tenues d'ouvrière encore plus sexy, équipez-vous d'un des ensembles de lingerie de Kiki de Montparnasse. Boudoir dédié aux plaisirs sado-maso raffinés, le magasin propose un choix de lingerie très coquine, de menottes ou encore une petite mais efficace sélection de godemichés en verre. C'est beaucoup plus esthétisant que Babeland, mais ça vaut le détour. On A-DO-RE la boutique du designer Phillip Lim. Ses modèles sont très bien coupés. Les matières sont belles. Vous trouverez des vêtements seyants, féminins. Kirna Zabête est une boutique qui compte pour les pintades de SoHo, avec une sélection impeccable des stylistes du moment, certains sont européens (Balenciaga, Gaultier), mais vous trouverez aussi des Américains (Badgley Mischka, Proenza Schouler). Et puis au rayon de la mode équitable (et aussi portable !), rendez visite à R by 45rpm, une boutique japonaise qui s'approvisionne en cotons bios venus d'Inde. Leurs tuniques bleu indigo sont très chouettes. Devant l'engouement de nos copines, et leurs mines déconfites du genre « Ah bon.... T'aimes pas Flying A ?????? Mais pourquoooiiiiii ????????? », on vous parle de Flying A. Une boutique sympa pour des t-shirts, des petites robes et du *sportswear girlie*. Vous l'aurez compris, on n'est pas totalement fans, mais tout le monde autour de nous semble l'être, alors... Et au rayon de la perplexification non partagée par notre entourage : KidRobot, un magasin de robots japonisant. Ces robots ne font rien. Ils ne parlent pas, ils ne font pas le café ni le ménage. Vous ne pourrez même pas les utiliser pour des faveurs sexuelles. On ne voit simplement pas l'intérêt, mais comme disent nos copines américaines, *« you're missing the point »*. Enfin, deux magasins de déco. Moss : son fondateur, Murray Moss, est un gourou du design. Dans sa boutique à l'ambiance théâtrale, on y trouve les essentiels de la maison, vaisselle, lampes, meubles, avec à la fois une sélection très pointue et des objets plus attendus. Juste à côté, Moss a ouvert une galerie où il expose peintres et sculpteurs contemporains. Allez-y faire un tour, au moins juste pour l'inspiration et le plaisir des yeux (il y a aussi tout un tas de petits objets, parfaits pour des cadeaux). Enfin, The Rug Company propose un choix de tapis modernes magnifiques. On comprend bien que ce n'est pas pratique de rapporter un tapis Paul Smith de 4 mètres sur 3 dans sa valise, mais c'est très beau à regarder dans une galerie à New York. Faire du shopping, c'est soooo SoHo.

NANETTE LEPORE
423 Broome St. (entre Crosby et Lafayette St.)
☎ 212 219 8265
www.nanettelepore.com

GIRLPROPS
153 Prince St. (entreWest Broadway et Thompson St.)
☎ 212 505 7615
www.girlprops.com

OPERATIONS
60 Mercer St. (angle Broome St.)
☎ 212 334 4950

MOSS
146 Greene St. (entre Houston et Prince St.)
☎ 212 204 7100
www.mossonline.com

THE RUG COMPANY
88 Wooster St. (angle Spring St.)
☎ 212 274 0444
www.therugcompany.info

R BY 45RPM
169 Mercer St. (entre Houston et Prince St.)
☎ 917 237 0045
www.rby45rpm.com

KIRNA ZABETE
96 Greene St. (entre Prince et Spring St.) ☎ 212 941 9656
www.kirnazabete.com

FLYING A
169 Spring St. (entre W Broadway & Thompson St.)
☎ 212 965 9090
www.FlyingA.net

3.1 PHILLIP LIM
115 Mercer St. (entre Spring St. et Prince St.)
☎ 212 334 1160
www.31plilliplim.com

KIKI DE MONTPARNASSE
76 Greene St. (entre Broome St. et Spring St.)
☎ 212 965 8150
www.kikidm.com

KIDROBOT
118 Prince St. (entre Greene St. et Wooster St.)
☎ 212 966 6688

NoHo - NoLIta
Tanière de jeunes designers

NoHo qui signifiez *North of Houston Street* et NoLIta, qui signifie *North of Little Italie*, font partie de ces quartiers de New York qui, il y a encore quelques années, n'existaient pas. Comprise entre Houston Street au nord, the Bowery à l'est, Broome Street au sud et Lafayette Street à l'ouest, cette portion lilliputienne compte une quantité impressionnante de petites boutiques plus *edgy* et décontractées que sa désormais bourgeoise voisine SoHo. Depuis la fin des années 90, c'est l'une des destinations de shopping qui comptent. Habité par des *young urban professionals*, truffé de restaurants à la mode, NoLIta est un quartier tranquille où il fait bon traîner. Voici quelques arrêts recommandés.

Sigerson Morrison : celles par qui les tongs à talon et les ballerines en plastique sont arrivées ; leurs sandales, *stilettos* et bottes sont hyper sexy, bien que pas données (200 à 300 $), et elles se sont récemment lancées dans les sacs à main. Ina : cet excellent dépôt-vente est une pépinière de bonnes affaires et permet de s'offrir à moitié prix des tenues signées Miu Miu, Prada, Comme des Garçons, ou encore Gucci, dont on a peine à croire qu'elles ont déjà été portées. Frock est une boutique spécialisée dans le vintage des années 60 à 80, qui propose des vêtements de designers. Selon les arrivages, vous pouvez dénicher une robe Carolina Herrera, un tailleur Christian Lacroix, ou encore une tenue Oscar de la Renta. Quelques modèles de haute couture (Courrèges, Alaïa, etc.). Triple Five Soul : du *streetwear* de qualité, une boutique de rappers et de skaters où l'on trouve des t-shirts rigolos, des pantalons *baggies* et des cargos, des *hoodies*.
On adore la parfumerie Le Labo, fondée par deux Français. Leurs essences sont merveilleuses. Et Steven Alan, le voisin du Labo se spécialise dans les chemises. Beaux tissus, réassorts permanents et coupes très chouettes. Ne manquez pas Hotel Venus by Patricia Field, la boutique bric-à-brac de la costumière de *Sex and the City*. Une mine de bonnes idées et de vêtements originaux, aussi inspirée et éclectique que les tenues des filles de la série (il y a même un salon de coiffure à l'intérieur). Enfin, B-4 it was cool : un antiquaire déglingué qui regorge de trésors (magnifiques lampes industrielles), essentiellement pour le plaisir de plonger dans l'histoire américaine car les meubles sont difficilement transportables dans les valises du retour et les tarifs pratiqués sont exorbitants.

Frock
170 Elisabeth St. (entre Spring et Kenmare St.)
☎ 212 594 5380
www.frocknyc.com

Sigerson Morrison
28 Prince St. (entre Mott et Elizabeth St.) ☎ 212 219 3893
www.sigersonmorrison.com

Ina
21 Prince St. (entre Mott et Elizabeth St.) ☎ 212 334 9048
www.inanyc.com

Triple Five Soul
290 Lafayette St. (entre Prince et Houston St.)
☎ 212 431 2404
www.triple5soul.com

B-4 it was cool
89 E Houston St. (entre Elizabeth St. et Bowery)
☎ 212 219 0139

Hotel Venus by Patricia Field
302 Bowery (entre 1st Av. et E. Houston St.)
☎ 212 966 4066
www.patriciafield.com

Le Labo
233 Elizabeth St.
(entre Prince et E Houston St.)
☎ 212 219 2230

Steven Alan
229 Elisabeth St.
(entre Prince et Houston St.)
☎ 212 226 7482

West Village
Flâneries

Avec ses petites maisons en grès couleur chocolat, ses perrons, ses rues calmes et sinueuses, ses *backyards* verdoyants et ses *coffee houses*, le Village fait plus penser à l'Europe qu'à New York, du moins à l'idée qu'on s'en fait. Longtemps avant-gardiste et anticonformiste, le quartier s'est aujourd'hui assagi. Malgré la forte concurrence du Meatpacking District, il continue d'être une *it destination* de shopping. De nombreuses boutiques s'y sont ouvertes, attirées par le charme authentique du coin.

Vous croiserez souvent des filles avec un sac Olive & Bette's à la main. Cette mini-chaîne *girlie* privilégie les tenues acidulées, avec une sélection de designers sympas comme Sanctuary, Nanette Lepore, Tamara Henriques, ou encore Trina Turk ; un mélange d'articles très chers (par exemple des cachemires originaux) et d'autres beaucoup plus abordables. Non loin de là, la boutique de Cynthia Rowley, une New-Yorkaise dont nous aimons les tailleurs pantalons et les robes bustiers très féminins, ainsi que les bottes et les bijoux.
Encore plus *flirty*, Lulu Guiness, prêtresse anglaise du *handbag*, qui a les faveurs de Madonna et d'Elizabeth Hurley. American

Apparel, la fameuse marque de t-shirts *socially correct* fabriqués à Los Angeles, qui affiche fièrement son label *sweatshop free*.

OLIVE & BETTE'S
384 Bleecker St. (angle Perry St.) ☎ 212 206 0036
www.oliveandbettes.com

CYNTHIA ROWLEY
376 Bleecker St. (entre 11th et Perry St.) ☎ 212 242 3803
www.cynthiarowley.com

LULU GUINNESS
394 Bleecker St. (entre Bank et 11th St.) ☎ 212 367 2120
www.luluguiness.com

AMERICAN APPAREL
205 Bleecker St.
(angle 6th Ave.)
☎ 212 777 3520
www.americanapparel.net

Meatpacking District
Trop de branchitude tue la branchitude

Il est loin le temps où le Meatpacking District était le domaine interlope des bouchers le jour et des travestis la nuit. La faune nocturne hybride, mélange de prostitués et de fêtards précurseurs, a fait place à une foule de *Bridge & Tunnel* attirée par les restaurants et les night-clubs à la croissance exponentielle ; les parfums capiteux des fashionistas ont remplacé l'odeur de sang bovin, et les entrepôts ont été supplantés par des boutiques dont les concepts laissent parfois perplexes. Keith McNally, l'empereur de la restauration, et Jeffrey Kalinsky, le pape de la mode, ont joué les pionniers en venant s'installer en 1999. Malheureusement, victime de son succès, l'ancien quartier des halles s'est rapidement aseptisé. Comme le faisait récemment remarquer le magazine *New York*, West 14th Street, sa principale rue, a aujourd'hui des allures de Rodeo Drive (la fameuse artère de shopping de luxe de Beverly Hills).

Il reste quand même agréable de s'y promener en semaine, quand les rues sont calmes, d'autant que certaines boutiques valent vraiment le détour. Si Jeffrey New York est soi-disant l'une des références en matière de shopping, notamment de chaussures, nous, on n'est pas convaincues : c'est un *raw space* qui offre une sélection sans surprise de Marc Jacobs, Pucci, Manolo, Jimmy Choo et autres designers chics et chers. À quelques portes de là, on préfère rêver devant les sublimes créations d'Alexander Mc Queen. C'est en quittant W 14th Street que vous verrez les vitrines les plus intéressantes : Charles Nolan, un designer new-yorkais qui a ouvert sa première boutique, très élégante, à l'automne 2004, et dont les créations sont hyper féminines ; la dernière boutique en date de Catherine Malandrino, la styliste française qui cartonne aux États-Unis, en particulier chez les stars (Demi Moore, Julia Roberts, Halle Berry pour n'en citer que quelques-unes) ; l'autre *queen* du quartier, Diane von Furstenberg, dont les fameuses *wrap dresses* sont toujours aussi populaires ; dans une gamme de prix plus abordable, Calypso, la mini-chaîne créée par Christine Cell (encore une Française !) : on y trouve plein de tenues colorées et marrantes (en crochet, à sequins, avec des frous-frous…) pour faire sa *western girl* ou pour une virée dans les Hamptons. Il y a aussi Scoop NYC, une autre mini-chaîne dont la sélection vous fera gagner du temps si vous cherchez les essentiels de la saison chez les grands designers.

Enfin, si vous êtes obsédée par les jeans et prête à mettre le prix (minimum 170 $) pour en avoir une paire unique au monde, vous serez séduite par le concept de Earnest Sewn, la boutique *hot* de denim qui fabrique sur place le jean de vos rêves. Une customisation totale : vous choisissez la coupe et la couleur, ainsi que la forme et l'emplacement des poches, des boutons, et hop, deux heures plus tard, vous l'étrennez sur vos fesses. Garanti à vie.

ALEXANDER MC QUEEN
417 W 14th St. (entre 9th Ave. et Washington St.)
☎ 212 645 1797

EARNEST SEWN
821 Washington St. (entre Gansevoort et Little W 12th St.)
☎ 212 242 3414
🖱 www.earnestsewn.com

CALYPSO
654 Hudson St. (angle Gansevoort St.)
☎ 646 638 3000
🖱 www.calypso-celle.com

SCOOP NYC
873 Washington St. (entre 13th et 14th St.)
☎ 212 929 1244
🖱 www.scoopnyc.com

CATHERINE MALANDRINO
652 Hudson St. (angle Gansevoort St.)
☎ 212 929 8710
🖱 www.catherinemalandrino.com

CHARLES NOLAN
90 Gansevort St. (entre Washington St. et 10th Ave.)
☎ 212 924 3822
🖱 www.charlesnolan.com

DIANE VON FURSTENBERG
385 W 12th St. (entre Washington et West St.)
☎ 646 486 4800
🖱 www.dvf.com

COMMENT ÉCHAPPER AUX MARGUERITES TEINTES EN BLEU

Une invitation à dîner ou une copine à remercier pour son hospitalité ? New York a beau avoir fait des progrès en la matière, la fleur reste encore le parent « pauvre » des douceurs à offrir. Vous pouvez toujours aller au *deli* du coin : entre les œillets palichons déprimants, les roses, plus calibrées que cultivées au Pérou a-t-on envie de dire, et les marguerites teintes en bleu canard ou en vert pomme (la preuve, elles déteignent quand on les met dans l'eau !), vous n'êtes pas à l'abri de tomber sur de beaux arums ou des lys odorants. Mais quand il s'agit de trouver des bouquets plus raffinés, l'addition est souvent salée. Allez savoir pourquoi, le tarif syndical de la pivoine chez les fleuristes un peu *artsy* de la ville semble être de 15 $ pièce !
Voici les endroits où l'on aime se faire plaisir sans se ruiner ou alors pour une occasion spéciale.

Union Square Greenmarket
17th St. et Broadway (lundi, mercredi, vendredi et samedi)
De mars à octobre se succèdent les plantes vertes, les tulipes, les jonquilles, les branches de lilas, de pommiers, de pêchers et de cerisiers, les fleurs de pavot, ou encore les pois de senteur. Cherchez le petit camion blanc (sur lequel on peut lire Seven Pines Flower Farm) de Michael Barry, le dernier producteur de roses de Long Island : ses fleurs font partie des meilleures affaires de la ville (5 $ à 10 $ le bouquet). Venez tôt pour avoir la chance d'avoir des roses mauves, leur parfum est incroyable.

Flower District
Chelsea, de la 26th St. à la 29th St. (entre 6th et 7th Ave).
Comme les pros, foncez aux aurores chez les grossistes du marché aux fleurs de Chelsea. Il n'en reste plus beaucoup car le quartier, tombé aux mains des promoteurs, a voué les fleuristes à l'exil. L'accueil n'est pas forcément amène, mais il y a un certain choix.

Christopher Flowers
West Village, 130 Christopher St. (angle Hudson St.)
Un réel effort de sélection et de fraîcheur pour des prix honnêtes.

●●●

●●●
Les quatre adresses suivantes sont des coups de cœur, leurs compositions sont souvent hors de prix (50 à 75 $ au bas mot), mais vraiment exquises.

Polux Fleuriste
NoLIta, 248 Mott St. (entre Prince et E Houston St.)
☎ 212 219 9646

VSF Flowers
West Village, 204 W 10th St. (entre Bleecker et W 4th St.)
☎ 212 206 7236

Takashimaya
Midtown, 693 5th Ave. (entre 54th et 55th St.) ☎ 212 350 0100

Florisity
1 W 19th St. (entre 5th et 6th Ave.)
☎ 212 366 0891

East Village
Easygoing

Plus beaucoup de hippies, guère de punks (même si on constate un récent come-back). Réhabilité, l'East Village reste un quartier jeune, plus *on the edge* que le West Village mais moins grunge que le Lower East Side. Thompkins Park Square a été vidé de ses seringues, Alphabet City n'est plus une *no-go zone*, et les *local designers* ont fleuri ces dernières années. Il est très agréable d'arpenter les rues de ce quartier *easygoing*, à la recherche d'un restaurant bon marché – ce qui ne manque pas – ou, bien sûr, d'une nippe. Nous avons un coup de cœur pour Angelo Lambrou, un jeune créateur aux antipodes du snobisme, qui a grandi en Afrique et qui partage son temps entre New York, l'Afrique du Sud et le Botswana. Pour faire partager à sa communauté d'origine son succès grandissant, Angelo a monté une usine au milieu du bush, où 25 personnes fabriquent ses robes de soirée et de mariage. Des robes sensuelles, sophistiquées, aux influences africaines et méditerranéennes, un mixte de prêt-à-porter et de haute couture. Angelo s'amuse également avec des créations encore plus audacieuses, comme des bustiers à lacets en cuir d'autruche. Acheter l'une de ses créations relève d'une petite folie financière mais si vous cherchez votre robe de mariée ou une tenue pour une occasion spéciale, c'est une bonne adresse, originale.

Maria Bello, Goldie Hawn, Salma Hayek ont aussi craqué pour Angelo. Au rayon lingerie, Azaleas offre une sélection attrayante et éclectique de porte-jarretelles, soutiens-gorge, culottes, maillots de bain, déshabillés, nuisettes. On y trouve les derniers gadgets tels que les Braza Petal Tops (cache-tétons), ou le Nu-Bra (deux coquilles en silicone à se ventouser sur les seins). La petite fille qui sommeille en vous dévalisera Collector's Toy Den, un magasin de poupées de collection. Vous y trouverez la Barbie Kate Spade ou la Barbie Versace. Il y a aussi une large sélection de Spiderman et d'autres super héros.
Et, bien sûr, pour celles qui sont en quête de vintage, l'East Village fourmille de *thrift shops*, en particulier Acquired Taste et Angela's Vintage Boutique (une mine pour trouver des robes de soirée des années 20 et 30, ou des accessoires haute couture…). Fabulous Fanny's est la boutique des bigleuses. Le choix de lunettes vintage est incroyable, avec des modèles datant du 18e siècle à nos jours. Il y aura forcément lunettes à votre nez.

ANGELO LAMBROU
96 E 7th St. (entre 1st Ave. et Ave. A)
☎ 212 460 9870
www.angelolambrou.com

AZALEAS
223 E 10th St. (entre 1st et 2nd Ave.)
☎ 212 253 5484
www.azaleasnyc.com

ACQUIRED TASTE
220 E 10th St. (entre 1st et 2nd Ave.) ☎ 212 995 5064

ANGELA'S VINTAGE BOUTIQUE
330 E 11th St. (entre 1st et 2nd Ave.) ☎ 212 475 1571

COLLECTOR'S TOY DEN
85 Franklin St. (entre Church St. et Broadway) ☎ 212 334 0409
www.collectorstoyden.com

FABULOUS FANNY'S
335 E 9th St. (entre 1st et 2nd Ave.) ☎ 212 533 0637

Chelsea, Flatiron, Union Square
The ladies' mile

Un quartier 3 en 1 : Chelsea, avec ses galeries d'art et ses boîtes de nuit ; Flatiron District, zone mi-résidentielle mi-commerciale (malheureusement nouveau terrain d'ébats des promoteurs) ; et Union Square, cour des miracles moderne où se succèdent *break-dancers*, musiciens, fermiers, manifestants de toutes les causes et vendeurs de t-shirts progressistes. Ce quartier central, où nous avons nos pénates, est un fourre-tout hyper pratique. Baptisé *The ladies' mile*, les élégantes venaient y faire leur shopping au début du siècle dernier.

Sur la très passante 6th Avenue, on trouve des chaînes comme Old Navy, Container Store ou encore Bed, Bath & Beyond, où les New-Yorkais – la *socialite* comme l'étudiant – viennent équiper leur maison, du robot électroménager Cuisinart dernier cri aux boîtes de rangement, du thermomètre à dinde à l'humidificateur. Quelques gadgets à rapporter : un kit de Pilates, une *pizza wheel* (couteau à pizza), un *shrimp butler* (éplucheur de crevettes), des accessoires pour barbecue, un moule à *muffins*, une poêle à *pancakes*, un rideau de douche avec le plan du métro de New York. Et si vous ne l'avez pas encore découvert, le Microplane Kitchen Grater, une râpe multifonctions dont vous ne pourrez plus vous passer.

17th Street est réputée pour ses *thrift shops*, à mi-chemin entre les brocantes et les friperies, tenues par des associations caritatives.

Chelsea renferme plus de galeries d'art que de boutiques de mode intéressantes. Si vous voulez découvrir l'alternative à Philippe Starck, allez chez Karim Rashid, le designer qui a le vent en poupe en ce moment. Le vrai trésor caché, c'est Southpaw, un show-room de vintage. C'est une caverne d'Ali Baba, un million de vêtements (littéralement), des sacs, des chaussures, des accessoires. Ici, on n'achète pas, on loue. Faites comme Naomi Campbell, venez choisir votre garde-robe pour la saison. C'est très cher (entre 400 $ et 1 000 $ par robe et par jour) et c'est sur rendez-vous uniquement. Les bonnes affaires, c'est chez B&H, *the place to go* pour acheter un appareil photo ou une caméra vidéo (attention, essentiellement des modèles NTSC, le standard américain) ; l'organisation du magasin est un spectacle en soi (fermé le samedi pour shabbat).

Dans un tout autre genre, pour vous changer des fringues, faites un tour chez Olde Good Things, une *antiques shop* dont la spécialité est la récup de l'architecture new-yorkaise. Leurs miroirs vieillis encadrés de fonte moulée (récupérée des plafonds de *cast-iron buildings* avant démolition) sont tellement réussis que ça vaut le coup de payer un excédent de bagage ou, mieux, de le glisser dans le container de copains qui rentrent vivre en France.

À l'ouest de Union Square, 5th Avenue offre un assortiment de marques où l'on est à peu près sûr de se faire plaisir : Banana Republic, Gap, Club Monaco, Anthropology, Kenneth Cole, Coach, et Victoria's Secret (la marque américaine de lingerie). Au nord, en remontant Broadway, on tombe sur ABC Carpet & Home, LA boutique de déco et d'accessoires : vous y verrez de très très belles choses, le plus souvent hors de prix (curieusement, leurs pashminas en cachemire et en soie sont plutôt bon marché)… Quasiment en face, Fishs Eddy, un magasin qui vend de la vaisselle rétro pas chère, récupérée dans les hôtels et les restaurants ; plus original que le fameux « I ♥ NY », un mug ou un bol du service « 212 skyline » est un joli souvenir à rapporter. Enfin, plus au sud, si vous recherchez des bouquins en anglais, n'hésitez pas, allez fouiner dans les rayonnages de Strand Bookstore, l'une des plus grandes librairies du monde, avec plus de deux millions de livres, neufs, d'occasion et aussi de collection.

BED, BATH & BEYOND
620 6th Ave. (angle 18th St.)
☎ 212 255 3550
www.bedbathandbeyond.com

KARIM RASHID
137 W 19th St. (entre 6th et 7th Ave.) ☎ 212 929 8657

B & H
420 9th Ave. (entre 34th et 33rd St.) ☎ 212 444 6627
www.bhphotovideo.com

ABC CARPET & HOME
888 Broadway (angle 19th St.)
☎ 212 473 3000
www.abchome.com

OLDE GOOD THINGS
19 Greenwich Ave.
(entre Charles et 12th St.)
☎ 212 229 0850
www.oldegoodthings.com

FISHS EDDY
889 Broadway (angle 19th St.)
☎ 212 420 9020
www.fishseddy.com

SOUTHPAW
226 W 37th St. (entre 7th et 8th Ave.)
☎ 212 244 2768

Midtown
Conventionnel

Midtown n'est pas vraiment le quartier le plus rigolo de New York. Les gens sont pressés, le quartier est industrieux. Tout le monde est affairé et rien n'appelle à la flânerie. Mais c'est une destination incontournable, on y travaille, on y shoppe, on s'y balade quand on est touriste, cathédrale St. Patrick et Rockfeller Center obligent. C'est là que vous trouverez toutes les chaînes de magasins américains, Ann Taylor, Brooks Brothers (le spécialiste *timeless fashion* de la chemise pour hommes), Nine West. Vous y verrez aussi les grosses pointures européennes, telles que Chanel, Vuitton, Dior ou Smythson of Bond Street. Midtown, il faut bien l'admettre, ne recèle pas de trésor caché, pas de petite boutique sympa, pas de coup de cœur. Ici, ce n'est que du classique, du basic, du connu, testé et éprouvé.

C'est tout d'abord le QG des *department stores*. Parmi eux, notre préférence va incontestablement à Barneys, chic et cher. C'est la meilleure sélection de vêtements, de chaussures, de sacs et d'accessoires. Le rayon beauté n'est pas en reste et le restaurant, Fred's, est un haut lieu de la gastronomie pour *ladies who lunch*. Bergdorf Goodman est réputé pour son *beauty level*. Vous y découvrirez des lignes de maquillage *cutting edge*, le top en matière de lutte anti âge, et une gamme originale de parfums. Le troisième de ceux que l'on appelle *the three B's*, Bendel, dispose d'un rayon lingerie aux allures de lupanar. C'est ici que sont vendues les guêpières Sonia Rykiel et les *dildos* de sa fille (cela dit, en matière de *dildos*, nous avons vu un petit canard qui vibre – pas franchement un *turn on* – au prix prohibitif de 128 $). Ne ratez pas les fenêtres en verre teinté signé Lalique. C'est chez Saks Fifth Avenue que vous trouverez une substantielle collection de Monsieur De la Renta, ainsi que la légendaire Crème de la Mer. Le grand magasin japonais Takashimaya vend des belles fleurs, son rayon cosmétique est original, avec des marques italiennes, japonaises et anglaises peu connues – zappez leur spa de la marque allemande Babor qui est vraiment sans intérêt. Le problème de Takashimaya, c'est que tout est absolument hors de prix.
Midtown, c'est aussi la tanière de Manolo Blahnik. Le célèbre chausseur est installé au rez-de-chaussée d'un immeuble résidentiel. Les jours de soldes, préparez-vous à faire la queue à l'extérieur. Enfin, au rayon des endroits qu'on visite plus pour le plaisir des yeux, faites un tour chez Tiffany (admirez le diamant jaune incrusté dans le mur au rez-de-chaussée. Vous pouvez aussi entrer chez Harry Winston pour la pureté de ses diamants, ou encore chez Jacob & Co., le bijoutier des rappers et des stars (Sean "P. Diddy" Combs, Justin Timberlake, Madonna, Jennifer Lopez, Michael Jordan, Britney Spears, Lenny Kravitz) pour ses modèles *over the top*. Dans un genre moins *upscale*,

allez à Niketown, parce qu'une mini-ville dédiée à la godasse de sport, ça intrigue. Si vous avez besoin de faire une pause, trouvez refuge chez Brookstone, la boutique de gadgets et objets divers qui vend des fauteuils au dossier vibromassant. Asseyez-vous dans le modèle d'exposition et *chill out !* Une fois les accus rechargés, vous trouverez bien une petite connerie à acheter, un moulin à poivre motorisé ou bien une fourchette à rôti qui fait aussi thermomètre !
Finissez votre périple par un arrêt au magasin American Girl Place, un immeuble entier qui vend des poupées. Au rez-de-chaussée, un salon de coiffure pour les *dolls* dont les cheveux sont nattés, roulés, frisés et coupés par des coiffeuses professionnelles. Vous verrez des petites filles qui, dans un vertige narcissique effrayant, recherchent la parfaite tenue pour la poupée de leur cœur. American Girl Place déploie l'artillerie marketing lourde, à l'attaque des gamines américaines (et des autres) ; à vous donner des sueurs froides. Après tant de débauches, retrouvez le droit chemin à la cathédrale St. Patrick.

BARNEYS
660 Madison Ave. (angle 61st St.) ☎ 212 826 8900
www.barneys.com

BERGDORF GOODMAN
754 5th Ave. (angle 57th St.)
☎ 212 753 7300
www.bergdorfgoodman.com

HENRI BENDEL
712 5th Ave. (entre 55th et 56th St.)
☎ 212 247 1100
www.henribendel.com

SAKS FIFTH AVENUE
611 5th Ave. (angle 50th St.
☎ 212 753 4000
www.saks.com

TAKASHIMAYA
693 5th Ave. (entre 54th et 55th St.)
☎ 212 350 0100

MANOLO BLAHNIK
31 W 54th St. (entre 5th et 6th Ave.) ☎ 212 582 3007

TIFFANY & CO.
727 5th Ave. (angle 57th St.)
☎ 212 755 8000
www.tiffany.com

HARRY WINSTON
718 5th Ave. (angle 56th St.)
☎ 212 245 2000
www.harrywinston.com

JACOB & CO.
48 E 57th St. (entre Madison et Park Ave.)
☎ 212 719 5887
www.jacobandco.com

NIKETOWN NEW YORK
6 E 57th St. (entre 5th et Madison Ave.)
☎ 212 891 6453
www.niketown.com

DU BON USAGE DES CHAÎNES DE MAGASINS

Vous n'avez pas besoin de nous pour trouver le Gap du coin. Mais voici un rapide topo sur 5 autres grandes chaînes dans lesquelles les bonnes affaires ne manquent pas.

Old Navy, la version *cheap* de Gap, beaucoup de choix, par exemple pour agrémenter sa garde-robe à peu de frais d'un pantalon cargo, d'une petite robe en coton (pas forcément très bien coupée mais qui fera son effet) ou d'un accessoire *staple* de la saison.

Banana Republic, la version chic de Gap. Celles qui sont déjà venues aux États-Unis savent que c'est truffé de Françaises. Les coupes et les tissus sont plus sophistiqués, donc c'est plus cher. Profitez des soldes, il y en a toujours dans un coin du magasin. Bon à savoir : collection spéciale *Petites* dans certaines boutiques.

Urban Outfitters, un label plus jeune pour dénicher un jean, un *tank top* ou une veste dans le coup. On y trouve également des gadgets et des accessoires rigolos, souvent de bonnes idées de cadeaux à rapporter aux copains.

Club Monaco, l'intérêt majeur de cette marque canadienne, ce sont les promos permanentes pour se procurer une robe ou une jupe « air du temps ». À peu de frais, on a l'illusion d'avoir fait ses emplettes chez un créateur new-yorkais.

Express, vous y trouverez des pantalons pas trop mal coupés, des caracos et des cache-cœurs, le tout à des prix super raisonnables. On vous l'accorde, il y a à prendre et à laisser. Mais bon, comme il y a à prendre, on vous en dit deux mots.

BROOKSTONE
16 E 50th St. (à Rockefeller Center) ☎ 212 262 3237
www.brookstone.com

AMERICAN GIRL PLACE
609 5th Ave. (angle 49th St.)
☎ 877 247 5223
www.americangirl.com

Upper West Side
Éclectique pratique

L'Upper West Side n'est pas une destination en soi pour le shopping et, à vrai dire, on l'inclut plus par devoir que par passion. Si vous vous trouvez dans le coin et que vous avez envie de faire quelques emplettes, il y a largement de quoi satisfaire les instincts consuméristes.

D'abord, le quartier, très familial, compte toutes les chaînes habituelles – Gap, Victoria's Secret, etc. pour ne mentionner que les plus fréquentables (non, ce n'est pas OK de s'habiller chez Talbots, passez devant la vitrine et vous comprendrez ce que l'on veut dire !) –, mais il y a aussi quelques magasins chouettes. D'abord, les mini-chaînes, telles que Malia Mills pour les maillots de bain, Intermix, qui offre une sélection de vêtements griffés Malandrino, von Furstenberg, Chloé, etc., ou encore Betsey Johnson, la papesse new-yorkaise du frou frou qui vend ses propres collections. Dans l'ensemble, les modèles que l'on trouve dans l'Upper West Side sont faits pour plaire aux mères de famille poussant les poussettes sur les larges trottoirs de Columbus Avenue et de Broadway, à quelques encablures de Central Park. C'est le cas de Theory qui propose des vêtements chics et confortables pour les femmes actives. Parmi les boutiques qui sortent des sentiers battus, allez cher Allan & Suzi. Allan est un sosie de Polnareff. Sa boutique est remplie de robes vintage, de chaussures de drag queens, de corsages pailletés et cloutés. Un passage obligé si vous êtes dans le quartier. Si vous cherchez des vêtements de sport, deux adresses : Bloch, une marque australienne de vêtements de danse qui offre une large gamme de survêtements, collants, justaucorps et chaussons de très bonne qualité et Lululemon, juste à côté du Lincoln Center, qui propose une dizaine de pantalons de sports de coupes et de couleurs différentes. Nous avons été séduites par la boutique qui propose des cours de yoga gratuits, des séminaires et tout un tas de conseils précieux. Dans un genre plus girly-flirty, Pookie & Sebastian a concocté un mixte de jeans Seven For all Mankind, de t-shirts originaux, de jupes et de robes habillées, à des prix abordables. Ne ratez pas leurs accessoires comme les cache-tétons, ou encore les capitonnages en silicone pour faire le décolleté pigeonnant. Dans un genre plus ringard, mais délicieux, Knitty City, le magasin des fans de tricot. On y trouve de la laine, des aiguilles, des livres. Les dames du quartier viennent faire leurs points de mousse en même temps qu'un brin de causette. Et pour les pintades en herbe, courez chez Berkley Girl, l'ultime boutique pour *tweens*, comprenez les 7-15 ans. Ici, on trouve des jupes de designers taille 10 ans à 100 $ et des robes du soir taille 6 ans pour 300 $. Un passage, paraît-il, obligé pour les girls new-yorkaises avant la rentrée des classes.

Malia Mills
220 Columbus Ave. (angle 70th St.) ☎ 212 874 7200
www.maliamills.com

Intermix
210 Columbus Ave. (entre 69th et 70th St.) ☎ 212 769 9116
www.intermix-ny.com

Betsey Johnson
248 Columbus Ave. (entre 71st et 72nd St.) ☎ 212 362 3364
www.betseyjohnson.com

Theory
230 Columbus Ave. (entre 70th et 71st St.) ☎ 212 362 3676
www.theory.com

Bloch
304 Columbus Ave. (entre 74th et 75th St.) ☎ 212 579 1960
www.blochworld.com

Pookie & Sebastian
322 Columbus Ave. (angle 75th St.) ☎ 212 580 5844
www.pookieandsebastian.com

Berkley Girl
410 Columbus Ave. (entre 79th et 80th St.) ☎ 212 877 4770
www.berkleygirl.com

Allan & Suzi
416 Amsterdam Ave. (entre 79th et 80th St.) ☎ 212 724 7445

Lululemon Athletica
1928 Broadway (angle 64th St.)
☎ 212 712 1767

Knitty City
208 W 79th St. (entre Broadway et Amstredam Ave.)
☎ 212 724 9596

Upper East Side
Bourgeois pas bohème

L'Upper East Side regorge de femmes distinguées et richement vêtues, qui portent leurs cheveux impeccablement coiffés et leurs diamants pour le déjeuner. Elles adorent les *French designers* et du coup, le quartier s'en ressent. Le fief des *socialites* est plus « classicisme de bon goût » (qui a dit chiant ?) que « débauche de créativité ». C'est là que vous trouverez tous les Prada, Gucci, Hermès, Chanel et *tutti quanti*. Ne vous privez pas d'y aller : les avant-postes américains achètent des stocks différents de leurs grands frères européens et parfois, selon le cours du dollar, on peut y faire de bonnes affaires.
Le quartier est très bourgeois, l'équivalent de notre 16e arrondissement parisien, mais une promenade entre deux musées et un *stroll* dans Central Park n'est pas désagréable.

Quelques boutiques, certaines hors des sentiers battus, d'autres plus attendues, ont retenu notre attention : arrêtez-vous chez Jimmy Choo pour une paire de *stilettos* vertigineux. Les prix sont vertigineux aussi, profitez des soldes (deux fois par an) à 50 %. Morgane Le Fay

NEW YORKERS NEVER PAY RETAIL

LA NEW-YORKAISE NE SE LAISSE PAS PLUMER

New York, c'est la ville des bonnes affaires, à condition d'être un peu rodé. Quelques règles d'or à observer pour ne pas être totalement sur la paille en rentrant. Soyez à l'affût, c'est l'anarchie la plus totale dans les soldes (les *sales*) qui se succèdent tout au long de l'année. Vous devez absolument maîtriser le concept de *sample sales*, ces ventes privées (mais largement accessibles aux pauvres pécheresses que nous sommes) que les créateurs et certaines boutiques organisent deux fois par an pour se débarrasser de leurs stocks.

Si vous souhaitez programmer votre séjour en fonction des soldes, consultez www.newyorkmetro.com, le site Internet du magazine *New York* qui propose un calendrier anticipé des *sales* et des *sample sales*, www.gonyc.about.com/cs/samplesales, ou encore www.topbutton.com

Parmi les incontournables du discount :

Daffy's (135 E 57th St., entre Park et Lexington Ave., ☎ 212 376 4477, adresses multiples)

Une chaîne de magasins assez ringarde, mais qui récupère les invendus de *department stores* comme Bloomingdale's pour les brader. Donc de bonnes surprises en perspective.

Century 21 (22 Cortlandt St., entre Broadway et Church St., ☎ 212 227 9092)

Le temple de la dégriffe Downtown. Prada, Jean-Paul Gaultier, Miu Miu, Marc Jacobs, Gucci, D&G, on en passe et des meilleurs. Tous les créateurs, en particulier européens, à prix cassés.

Gabay's (225 1st Ave., entre 13th et 14th St. ☎ 212 254 3180)

Un magasin un peu pouilleux, où les fringues (les invendus de Bergdorf Goodman à *75 % off*) sont parfois mangées par les mites, mais qui, selon les arrivages, peut se transformer en vrai trésor pour les accros des *stilettos*, avec des paires de Manolo Blahnik, de Prada, de Jimmy Choo ou de Chanel à moins de 200 $.

Barneys Warehouse Sale (255 W 17th St., entre 7th et 8th Ave. ☎ 212 450 8400)

Les fashionistas ne jurent que par ces soldes monstres du luxe. Deux fois par an, vers mi-février et mi-août.

Pour celles qui aiment fouiller, les *thrift shops* sont souvent un bon nid pour dénicher un sac Marc Jacobs vintage ou un manteau en cuir d'occase.

Et s'il ne faut donner qu'une adresse d'*outlet* (déstockage d'usine), alors c'est celle de **Woodbury Common** dans la vallée de l'Hudson (498 Red Apple Court, Central Valley, ☎ 845 928 4000 www.premiumoutlets.com).

propose des robes de princesses, monochromes (elle déteste les imprimés), très belles. Les tissus sont superbes. Notre coup de cœur, c'est MO851, une marque canadienne qui fait des vestes en cuir de toutes les couleurs. Lors de notre visite, ils avaient un manteau en cuir glacé marron, irrésistible, ainsi qu'une veste rose délavé, très féminine. Leur ligne de petite maroquinerie est parfaite pour faire des cadeaux. Dans l'esprit scandinave, Clearly First propose des objets de déco, quelques habits, des livres, de la vaisselle, etc. Ils ont des sacs à dos en nylon très chouettes. Au rayon gadgets, on aime aussi Pylones. C'est la même famille que celles de Paris, mais avec un choix d'objets américains. Si vous êtes accro au style western, allez confectionner votre ceinture chez Pat Areias. Choisissez le cuir (lézard, autruche, etc.), la boucle, et voilà, vous avez une ceinture de *cowgirl*. Rendez aussi une petite visite au pape du style *Americana chic*, Ralph Lauren, qui a envahi un bloc entier de Madison Avenue, avec des lignes bébés, enfants, sports, hommes et femmes.
Enfin, deux couturiers américains : Oscar de la Renta, c'est sa première boutique et elle vaut le détour, et Carolina Herrera qui fait des collections hyper glamour. Et quand vous en avez marre de remonter Madison Avenue, allez engouffrer un mille-feuille chez Payard (1032 Lexington Ave., entre 73rd et 74th St.)

JIMMY CHOO
716 Madison Ave. (entre 63rd et 64th St.) ☎ 212 759 7078
www.jimmychoo.com

MORGANE LE FAY
746 Madison Ave. (entre 64th et 65th St.) ☎ 212 879 9700
www.morganelefay.com

MO851
635 Madison Ave. (entre 59th et 60th St.) ☎ 212 988 1313
www.mo851.com

CLEARLY FIRST
980 Madison Ave. (entre 76th et 77th St.) ☎ 212 988 8242
www.clearlyfirst.com

PYLONES
842 Lexington Ave. (entre 64th et 65th St.) ☎ 212 317 9822
www.pylones-usa.com

PAT AREIAS
966 Madison Ave. (entre 75th et 76th St.)
☎ 212 717 7200
www.patareias.com

RALPH LAUREN
888 Madison Ave. (angle 72nd St.) ☎ 212 434 8010
www.ralphlauren.com

OSCAR DE LA RENTA
772 Madison Ave. (angle 66th St.) ☎ 212 288 8210
www.oscardelarenta.com

CAROLINA HERRERA
954 Madison Ave. (angle 74th St.) ☎ 212 249 6552
www.carolinaherrera.com

Brooklyn
Bohemian-chic

Cela va de pair avec la *manhattanization* de Brooklyn : des dizaines et des dizaines de petites boutiques *trendy* dénuées de snobisme ont ouvert ces dernières années. En toute logique, les étudiants, les artistes, puis les familles qui ont fuit les loyers prohibitifs de Manhattan ont importé l'obsession du style. L'effervescence a commencé par Williamsburg, puis a gagné Smith Street dans Boerum Hill, le quartier de Fort Greene et, plus récemment, Atlantic Avenue et 5th Avenue à Park Slope. Ces magasins n'attirent pas seulement les nombreux trentenaires qui vivent là-bas, mais aussi les habitants de Manhattan qui n'hésitent plus à traverser l'East River pour un *shopping spree.* Imitez-les, comme ça vous ferez d'une pierre deux coups : de bonnes affaires dans des bazars qui changent de Banana Republic et la découverte de quartiers agréables.
Prenez la ligne L de métro, descendez à Bedford Avenue. Bienvenue à Williamsburg, une sorte de Lower East Side délocalisé où se côtoient, non sans tensions parfois, étudiants, jeunes couples *yuppies*, vieux immigrés polonais et juifs hassidiques. Promenez-vous le long de Bedford Avenue et de Berry Street, laissez-vous gagner par le calme et la « coolerie » locale. Pour les amateurs de *messenger bags* et de *hoodies* (les fameux sweat-shirts à zip et à capuche), un arrêt à Brooklyn Industries s'impose (une partie de leur ligne de t-shirts reprend leur logo, un dessin des célèbres *water towers* new-yorkaises). Non loin de là, Red Pearl mélange gadgets rigolos et lingerie canaille (c'est ici que nous achetons de très jolis chaussons chinois brodés en forme de tongs). Passez chez Sam & Seb, où s'habillent les enfants *hip* (*cf.* New York avec les pintadeaux, p. 133).

Lors d'un autre périple à Brooklyn, allez prendre l'air à Prospect Park (nous adorons y aller le dimanche après-midi pour écouter les *drummers* ; entrez à l'angle de Parkside Avenue et Ocean Avenue) avant d'arpenter les rues de Park Slope, autre communauté bobo de Brooklyn. Déjeunez sur 5th Avenue et faites-y un peu de lèche-vitrine, essentiellement entre Saint Marks Place et 3rd Street. Par exemple, Beacon's Closet pour le vintage ou Diane Kane pour la lingerie.

Les boutiques sont tellement nombreuses dans le quartier de BoCoCa (BOerum Hill, CObble Hill et CArroll Gardens) qu'il vous faudra beaucoup de temps pour les écumer. Et comme les bars et les restaurants ne manquent pas non plus… Voici une sélection des commerces préférés de notre copine Caroline Sausville, *personal shoppeuse* en herbe qui vit dans le coin. Soula, un marchand de souliers qui vous fera découvrir de nombreux créateurs new-yorkais, notamment Lisa Nading, Gentle Souls, et Rafe (apprécié pour ses bottes de pluie colorées) ; Diane T., un mini Barneys qui privilégie des *New York designers* tels que Rebecca Taylor, Ulla Johnson et des Américains comme ParkVogel ; Lily, où l'on trouve des tonnes de sacs et d'accessoires à petits prix, ainsi qu'une grande sélection de t-shirts (Michael Stars, Jake's Dry, Project E *tees*, et surtout les BKLYN *tees*, un hit pour la Française en balade qui veut rapporter un souvenir) ; Flirt, un dépôt-vente de vêtements de créateurs qui fait aussi des créations sur mesure ; Refinery, dont les sacs en tissus colorés signés Suzanne Bagdade et les *tees* 718 (l'indicatif téléphonique de Brooklyn) sont des *must-have* à l'épaule des locales et sur le torse de leurs gamins ; Enamoo, un magasin d'*antiques* parfait pour dénicher un objet vintage de la culture populaire américaine ; Sir, dont les créations vestimentaires (Joanna Baum) ont la cote auprès de Kate Hudson et Kirsten Dunst. Something Else, une bonne sélection de jeans et de streetwear (Seven, Juicy, et Triple 5 Soul notamment).

BROOKLYN INDUSTRIES
162 Bedford Ave. (angle N 8th St.)
☎ 718 486 6464
www.brooklynindustries.com

RED PEARL
200 Bedford Ave. (angle N 6th St.)
☎ 718 599 002

BEACON'S CLOSET
925 Fifth Av. (angle Warren St.)
☎ 718 230 1630
www.beaconscloset.com

DIANE KANE
229B 5th Ave. (entre President et Carroll St.) ☎ 718 638 6520

SOULA
185 Smith St. (angle Warren St.)
☎ 718 834 8423
www.soulashoes.com

DIANE T.
174 Court St. (entre Amity et Congress St.) ☎ 718 923 5777

LILY
209 Court St. (entre Wyckoff et Warren St.) ☎ 718 858 6261
www.lilybrooklyn.com

FLIRT
93 Fifth Av. (entre Warren St. et Baltic St.) ☎ 718 783 0364

REFINERY
248 Smith St. (entre Douglass et Degraw St.) ☎ 718 643 7861

ENAMOO
109 Smith St. (angle Pacific St.)
☎ 718 624 0175
www.enamoo.com

SIR
360 Atlantic Ave. (entre Hoyt et Bond St.) ☎ 718 643 6877
www.sirbrooklyn.com

SOMETHING ELSE
144 Smith St. (Bergen St.)
☎ 718-643-3204

Notes : Le plumage

Les autres bons plans de la pintade

Nous aimons New York. Passionnément. À la folie. Comme tous les New-Yorkais, nous avons un rapport quasi charnel avec cette ville aussi galvanisante qu'éreintante. Pour être certaines que vous profiterez de New York comme elle le mérite et comme vous le méritez, voici nos autres bons plans. Un chapitre fourre-tout, avec des infos pratiques, des itinéraires de balades, des idées d'activités avec les pintadeaux et même des frissons polissons.

Y'A PAS QUE L'EMPIRE STATE BUILDING À NEW YORK

La pelouse du General Theological Seminary

175 9th Ave. (entre 20th et 21st St.) ☎ 212 243 5150

Ne vous fiez pas à l'horrible bâtisse moderne sur 9th Avenue. C'est l'un des secrets les mieux gardés de la ville, le plus vieux séminaire de l'Église épiscopale, au cœur de Chelsea. À l'intérieur, des bâtiments du XIXe siècle, style *gothic revival*. La pelouse, très bien entretenue, donne un cachet encore un peu plus oxfordien au lieu. Venez avec votre pique-nique, acheté au *deli* du coin ou à La Bergamote par exemple, ou simplement pour bouquiner et piquer un petit somme au calme. Appelez avant, car les horaires d'ouverture au public sont variables.

Red Hook, Brooklyn

On ne se lasse pas d'arpenter ce quartier industriel du sud de Brooklyn. Il est très mal desservi par le métro, donc profitez-en pour louer des vélos ou offrez-vous un *water taxi* (www.nywatertaxi.com). Allez à Waterfront Park (au bout de Conover St.), et ne ratez surtout pas Pier 41 (au sud de Van Dyke St.) et Beard Street Pier (au sud de Van Brunt St.), deux jetées où subsistent de magnifiques entrepôts en briques de l'époque de la Civil War. Vues extraordinaires sur le New York Harbor et sur Gowanus Bay, avec cette impression féerique de toucher du doigt la Statue de la Liberté. Vous pouvez même admirer Miss Liberty à travers les feuillages des plantes luxuriantes entreposées au bout de Pier 41 par notre pote Sandor, le pépiniériste qui a ouvert Liberty Sunset Garden Center (204-207 Van Dyke St., Red Hook, Brooklyn ☎ 718-858-3400) ; et dire qu'il y en a qui sont payés pour travailler avec cette vue ! Si vous y allez le week-end, poussez jusqu'à la pelouse du Red Hook Recreational Center & Pool (155 Bay St., entre Clinton et Henry St.) où deux équipes d'amateurs sud-américains seront sûrement en train de disputer un match de foot. Pour le folklore et pour la bonne bouche : autour du stade, une douzaine de petits stands tenus par les *mamas* du coin, pour grignoter des spécialités d'Amérique latine. Délicieux et vraiment pas cher.

Hunts Point, South Bronx

Oubliez les voitures et les immeubles qui brûlent, les gangs et les *drug-dealers*. Le Sud du Bronx n'est plus la jungle urbaine dévastée par la violence des années 1970. Cela reste l'un des coins les plus pauvres des États-Unis, mais depuis une quinzaine d'années, les habitants retroussent leurs manches pour restaurer la vitalité de leur quartier. Et ça marche. Prenez le *6 train* et descendez à Hunts Point Avenue. L'un de nos endroits préférés s'appelle The Point (The Point Community Development Corporation, 940 Garrison Ave., angle Manida St. ☎ 718 542 4139), une ancienne usine transformée en sorte de MJC locale, où quelques pointures artistiques, comme le chorégraphe Arthur Aviles et la célèbre équipe de grapheurs Tats Cru, partagent leur savoir-faire avec la population locale. « *Give back to the community* » comme on dit ici. The Point est un concentré de la richesse culturelle du quartier. Avec un peu de chance, vous pourrez assister à une *battle de b-boys (breakdance)*. À moins que vous n'optiez pour le Mambo to Hip Hop Tour d'Angel Rodriguez (🖱 tiotimbales@yahoo.com ☎ 718 542 4139), une plongée dans l'héritage musical du Bronx. Si vous avez une petite faim, payez-vous un *fried chicken* à la cantine *soul food* du Point, Pat's Kitchen, une cuisine du sud pas spécialement *diet* mais qu'importe. Merci à Maurice Valentine, *alias* Mo, pour nous avoir fait découvrir The Point et pour nous faire partager son amour pour son quartier natal.

Central Park

Pour faire comme les vrais New-Yorkais, ayez votre endroit favori dans Central Park. Voici quelques lieux que nous affectionnons particulièrement :

Harlem Meer, tout au nord, de 106th à 110th St., entre Malcom X Blvd et 5th Ave. Les familles de Harlem viennent y jouer au frisbee et pique-niquer au bord de l'étang.

Belvedere Castle, pour l'une des plus belles vues du parc.

Turtle Pond, un coin bucolique pour manger.

Sheep Meadow, un grand classique. On adore y aller avec les enfants le dimanche. Un chassé-croisé continu de cerfs-volants, de ballons de football américain, de volley et de base-ball. Nous, on joue avec les Rocket Balloons, des ballons de baudruche de forme oblongue qu'on gonfle avec une pompe et qui s'envolent comme des fusées en faisant un bruit d'enfer. Si vous vous y mettez, attention ! La rançon du succès, c'est que vous vous retrouverez assailli par une nuée de gamins déchaînés.

Robert Moses State Park

Du nom de l'urbaniste qui a façonné New York et ses *suburbs* au XXe siècle (son obsession de la voiture et des nœuds autoroutiers ne lui a pas valu que des amis), ce parc est situé à l'extrême ouest de Fire Island. Huit kilomètres de plages pour surfer, se baigner, faire du bateau ou pêcher. Il y a même un golf de 18 trous et un *playground* pour les enfants.

Pour une virée au bord de l'océan, vous pouvez aussi aller dans l'une des communautés bobos de Fire Island (train au départ de Penn

WHAT A RELIEF !

Pour une raison étrange, New York est une ville où les toilettes publiques n'existent pas vraiment. Si, si, bien sûr, il y en a quelques-unes, mais franchement, on ne peut pas vous les recommander. Vous risqueriez d'y mourir asphyxié, et on ne se le pardonnerait pas. Voici quelques endroits où vous pourrez soulager vos vessies sans devoir passer ensuite par un sas de décontamination :

ABC Carpet & Home, 888 Broadway (angle 19th St.) 4e étage
Bergdorf Goodman ladies lounge, 754 5th Ave. (angle 57th St.) 7e étage
The Peninsula Hotel, 700 5th Ave. (angle 55th St.)
Barneys New York, 660 Madison Ave. (angle 61st St.), 9e étage
The Carlyle, 35 E 76th St (entrez par l'entrée latérale sur Madison Ave.)
Century 21, 22 Cortlandt St. (angle Church St.)
Bloomingdale's SoHo, 504 Broadway (entre Spring et Broome St.)
SoHo Grand Hotel, 310 West Broadway (entre Grand et Canal St.)
Starbucks, adresses multiples, c'est-à-dire à tous les coins de rue

Station, puis ferry), ou sur les plages de Long Island, plus populaires, Jones Beach (comptez une bonne heure de train et de bus) et Long Beach (40 minutes de train depuis Penn Station). Notre truc en plus : allez à Cedar Beach, une belle plage publique, propre et nettement moins bondée que les autres le week-end car moins connue. Elle est moins facile d'accès (le plus simple, c'est en voiture par Ocean Parkway. 20 $ de parking obligatoire) mais ça vaut le coup.

City Island, Bronx

Qui pourrait croire qu'on est dans le Bronx ? Avec son port de plaisance et sa *Main Street* bordée de maisons victoriennes, cette minuscule île a des airs de station balnéaire un rien désuète de Nouvelle-Angleterre. Adorable et totalement dépaysant (il faut quand même une bonne heure et quart pour y aller par la ligne 6 de métro jusqu'à Pelham Bay, puis le bus Bx29), parfait pour manger des *clams*, un *lobster* ou des *fried calamari* dans l'une des nombreuses gargotes de la rue principale, par exemple Johnny's Famous Reef Restaurant (2 City Island Ave., entre Belden St. et

le front de mer ☎ 718 885 2086). BROOKLYN BOTANIC GARDEN
Pour flâner au printemps, quand les cerisiers, les lilas, les magnolias et les pivoines sont en fleurs. Ou pour renifler le parfum enivrant des roses au mois de juin (1000 Washington Ave. ☎ 718 623 7200).

LIBERTY HELICOPTER

On vous l'accorde, un tour en hélico, ça a tout du piège à touristes (d'autant que c'est hors de prix, de 75 à 204 $ par personne selon la formule choisie). Mais quel bonheur quand on est là-haut. Demandez à ne pas être assis au milieu, sinon gare au torticolis pour essayer d'apercevoir un coin de paysage (Liberty Helicopter Tours ☎ 212 967 6464).

HUDSON BEACH CAFÉ

C'est un bon poste pour admirer l'Hudson River en buvant un pot (Riverside Park, au niveau de 105th St. ☎ 917 370 3448).

ET AUSSI…

N'oubliez pas d'admirer la gare de **Grand Central** et le **lobby du Chrysler Building**. Et si vous réussissez à amadouer le *doorman* du **Woolworth Building**, jetez un coup d'œil à son hall néo-gothique (normalement fermé au public), sa beauté laisse *speechless*.

New York avec les pintadeaux

Si vous venez avec *hubby* et les pintadeaux, pas de panique. La ville est très *kid-friendly*. Par exemple, vous tomberez rarement sur un serveur grincheux qui vous regardera d'un sale air parce que vous débarquez avec armes et poussette et que Junior hurle parce qu'il est affamé et n'a pas pu faire sa sieste. Les restaurants ont souvent des *high chairs* et des *balloons* pour les bébés, des *boosters* et des Crayola pour les plus grands. Aux beaux jours, profitez des pelouses, notamment à Central Park et à Prospect Park. En hiver, allez y faire de la luge ou des batailles de boules de neige. Voici quelques-unes de nos destinations préférées.

Pour le côté anachronique charmant, un petit tour de chevaux de bois à Bryant Park (6th Ave. et 46th St.). Un *merry-go-round* au milieu des buildings d'acier et de verre, avec la voix d'Édith Piaf en musique de fond. En fermant les yeux, on se croirait presque au jardin du Luxembourg ! Gros avantage : il y a moins de queue qu'à celui de Central Park, un magnifique carrousel des Fifties.

Toujours au rayon des charmes désuets, une petite virée s'impose à Coney Island, à Brooklyn. Le quartier populaire du bord de mer était le siège de nombreux petits parcs d'attractions. Ces dernières années, le quartier a subi les assauts féroces des promoteurs immobiliers. Le célèbre Astroland Amusement Park n'est plus, mais le Clynone et Deno's Wonder Wheel continue de tourner les sangs et faire frissoner petits et grands.
Le quartier est populaire et vivant. Les familles noires, hispaniques, russes et ukrainiennes déambulent sur le front de mer en engouffrant des hot dogs achetés chez Nathan's Famous et des quantités astronomiques de *junk food*. Si vous êtes à New York fin juin, allez assister à la *Coney Island Mermaid Parade*, une parade burlesque à mi-chemin entre Mardi-Gras et Halloween.
Les attractions sont ouvertes de mars a octobre. C'est évidement plus animé le week-end.

Ambiance plus *WASP*, mais très agréable également, à Victorian Gardens, un parc d'attractions ouvert de mi-mai à début septembre dans Central Park (situé au niveau de Wollman Rink, entrez au coin de 6th Ave. et de 59th St. et marchez vers le nord).

Grands classiques, mais jamais décevants, le zoo du Bronx et l'aquarium de Brooklyn.

Quand vous êtes à Central Park, n'oubliez pas d'aller saluer Pale Male, la célèbre buse à queue rousse qui a élu domicile avec sa famille sur la corniche de l'un des immeubles les plus chics de 5th Avenue (au grand dam de certains propriétaires qui ont essayé, en vain, de l'expulser). Ses groupies ont installé un télescope au bord de Conservatory Water, le bassin où l'on peut louer des bateaux télécommandés (au niveau d'E 72nd St.). Avec un peu de chance, vous arriverez pour la becquée.

Et bien sûr, les *playgrounds*, ces aires de jeux pour enfants disséminées un peu partout dans la ville. Parmi nos préférés, ceux de Washington Square, de Hudson River Park (notamment celui qui se trouve à hauteur de Jane St.) et de la promenade de Brooklyn Heights. En été, quand la température extérieure devient insupportable, visez ceux qui sont dotés de *sprinklers* (jets d'eau).

Enfin, quelques adresses pour donner libre cours à vos pulsions consuméristes.

Pour l'artillerie lourde : depuis qu'il a été refait, l'immense magasin de jouets FAO Schwartz (767 5th Ave. ☎ 212 644 9400) nous tape un peu moins sur le système. Il n'est finalement pas pire que le gigantesque Toys R' Us de Times Square (1514 Broadway ☎ 1 800 869 7787). On vous conseille d'aller faire vos emplettes sans les enfants, si vous ne voulez pas y passer des plombes à maudire les stratèges en marketing.
Cela dit, on préfère des échoppes à taille humaine, comme Kidding Around (60 W 15th St. ☎ 212 645 6337). Et aussi les bazars conceptuels ouverts par et pour les *hot mamas* et les *hip papas*, qui mélangent jouets *old-fashion*, gadgets *funky* et vêtements de designers locaux et européens :

YoyaMart
15 Gansevoort St. (angle Hudson St.) ☎ 212 242 5511
Autant pour les enfants que pour leurs parents. On y trouve les Ugly Dolls, les *plush toy flowers* de l'artiste Takashi Murakami (oui, oui, le même que celui des sacs Vuitton), et une sélection marrante de robots et de gizmo japonais.

Pomme
81 Washington St. (angle York St.), Dumbo, Brooklyn, ☎ 718 855 0623
La grande boutique *lofty* de notre copine Stéphanie, qui, pour votre plaisir, s'est chargée de réunir les meilleurs designers de jouets, de vêtements et de meubles pour enfants. Résultat : des créateurs américains (Salvor, Flora & Henry, t-shirts Monsters with sideburns, jeans Paper Denim), des accessoires venant de Brooklyn même (Mor Mor Rita), des jouets du monde entier. C'est une sélection absolument sans faute.

Buy Buy Baby

270 7th Ave. (entre 25th et 26th St.) ☎ 917 344 1555

Il est loin le temps où il fallait courir à l'autre bout de la ville pour trouver des articles de puériculture. Manhattan est aujourd'hui une île familiale avec moult boutiques spécialisées. Buy Buy Baby est l'un des temples de la mère parfaite. Les New-Yorkaises n'y viennent pas pour le design mais pour le fonctionnel : on y trouve toutes les marques de biberons (en particulier les Playtex avec leurs recharges à usage unique, très pratiques car plus besoin de les laver), tous les gadgets possibles et imaginables, et des objets icônes comme la *high chair* en bois que l'on voit dans les restaurants et qui fera très chic dans votre cuisine.

Area kids & Area Play

233 Smith St. (entre Butler St. et Douglass St.), Brooklyn.
☎ 718 624 3157. 8 boutiques à Brooklyn
www.areabrooklyn.com

Une mini-chaîne de boutiques qui donne le ton de la *gentrification* de Carroll Gardens... Les vêtements ne sont pas toujours donnés mais on trouve des t-shirts rigolos, notamment des Brooklyn Tee et des Small Paul, qui, grâce au taux de change, deviennent des affaires à rapporter. Jolis souliers (See Kai Run), jouets rétro et gadgets. Comble du snobisme, on peut même acheter un *yoga mat* pour bébé car cette chaîne possède également un studio de yoga. Si une classe *Mommy & me* vous tente...

Les galeries d'art recommandées par Jeannie Weissglass
artiste peintre et pintade

À Williamsburg, j'aime aller à Jack the Pelican et Pierogi, deux galeries d'art contemporain, présentant une variété de peintures et de photos. Sans oublier que c'est sympa de se balader sur Bedford Street, d'explorer les petites boutiques et les librairies. Dans le Lower East Side, Rivington Arms, une galerie tenue par la fille de Brice Marden (artiste peintre contemporain connu pour ses toiles monochromatiques). Pour les autres galeries du quartier, je recommande de lire les critiques dans le *New York Times*. À SoHo, je conseille The Drawing Center, Deitch Projects (la galerie de Jeffrey Deitch, qui a exposé Sol LeWitt, Yoko Ono, Keith Haring etc.) et Peter Blum Gallery. À Chelsea, l'offre est tellement vaste qu'on peut y passer la journée. Ma stratégie consiste à lire la section Arts du *New York Times* le vendredi et en fonction des expos, de choisir mes destinations. Mais soyez prêts à marcher. Il y a évidemment les mammouths, Galerie Gagosian, Galerie Lelong ou Mary Boone, il y a aussi Bellwether, un transfuge de Williamsburg, ou encore Betty Cuningham, 303 gallery et CRG. Un mélange ultra éclectique, des artistes établis, des petits nouveaux, de la sculpture, de la photo, etc. Uptown, ce sont plutôt Littlejohn Contemporary (sur rendez-vous), McKee et Gagosian. Ne surtout pas oublier Long Island City, de l'autre côté du Queensboro bridge, SculptureCenter, et P.S.1, la salle d'expo du MoMA qui organise aussi des concerts en été. En cas de petite faim, il y a Tournesol, un restaurant français très sympa (50-12 Vernon Boulevard, entre 50th et 51st Ave.).

On vous recommande également le d.u.m.b.o art under the bridge festival, un festival exposant les créations des artistes du quartier de Dumbo (Down Under the Manhattan Bridge Overpass) à Brooklyn au mois d'octobre, avec une formule portes ouvertes pour visiter les studios des artistes locaux.

Jeannie Weissglass
jweissglass1@yahoo.com

Jack the Pelican
487 Driggs Ave. (entre N 9th et N 10th St.), Brooklyn
☎ 646 644 6756
www.jackthepelicanpresents.com

Pierogi 2000
177 North 9th St.
(entre Bedford et Driggs Ave.)
Brooklyn ☎ 718 599 2144
www.pierogi2000.com

31 Grand
31 Grand St. (angle Kent Ave.)
Brooklyn ☎ 718 388 2858
www.31grand.com

Rivington Arms
4 E 2nd St, 1st floor (entre Bowery et 2nd Ave.)
☎ 646 654 3213
www.rivingtonarms.com

The drawing Center
35 Wooster St.
(entre Grand et Broome St.)
☎ 212 219 2166
www.drawingcenter.org

Deitch Projects
76 Grand St.
(entre Wooster et Greene St.)
☎ 212 343 7300
www.deitch.com

Peter Blum
99 Wooster St.
(entre Prince et Spring St.)
☎ 212 343 0441
www.peterblumgallery.com

Gagosian Chelsea
555 W 24th St.
(entre 10th et 11th Ave.)
☎ 212 741 1111

Gagosian Uptown
980 Madison Ave. (entre 76th et 77th St.) ☎ 212 744 2313
www.gagosian.com

Galerie Lelong
528 W 26th St. (entre 10th et 11th Ave.)
☎ 212 315 0470
www.galerie-lelong.com

Mary Boone
541 W 24th St. (entre 10th et 11th Ave.) ☎ 212 752 2929
www.maryboonegallery.com

Bellwether
134 10th Ave. (entre 18th et 19th St.) ☎ 212 929 5959
www.bellwethergallery.com

Jessica Murray Projects
150 11th Ave. (entre 21st et 22nd St.)
☎ 212 633 9606
www.jessicamurrayprojects.com

Betty Cuningham Gallery
541 W 25th St. (entre 10th et 11th Ave.)
☎ 212 242 2772
www.bettycuninghamgallery.com

303 gallery
525 W 22nd St. (entre 10th et 11th Ave.)
☎ 212 255 1121
www.303gallery.com

CRG
535 W 22nd St. (entre 10th et 11th Ave.)
☎ 212 229 2766
www.crggallery.com

Littlejohn Contemporary
245 E 72nd St. #6E
(entre 2nd et 3rd Ave.)
☎ 212 980 2323
www.littlejohncontemporary.com

McKee Gallery
745 5th Ave. (entre 57th et 58th St.)
☎ 212 688 5951
www.mckeegallery.com

SCULPTURECENTER
44-19 Purves St. (angle Jackson Ave.) Long Island City, Queens
☎ 718 361 1750
www.sculpture-center.org

P.S.1
22-25 Jackson Ave. (angle 46th Ave.) Long Island City, Queens
☎ 718 784 2084
www.PS1.org

D.U.M.B.O ART UNDER THE BRIDGE FESTIVAL
☎ 718 694 0831
www.dumboartscenter.org/festival/

Repeat after me, petite leçon de vocabulaire

Air Conditioning. Ou son diminutif *AC* (non, on ne dit pas *climatization*). Invention *brooklynite* (1906). Au départ pas du tout pour le confort des humains, mais pour celui du papier qui se gondolait dans les imprimeries, en été, sous l'effet combiné de la chaleur et de l'humidité. « *Can you turn the AC off, we're freezing.* » « Pouvez-vous couper la clim, on gèle. »

Body odor *aka* BO. Odeur corporelle. En cas de problème, allez voir le réceptionniste de votre hôtel. « *Can I have another room, this one smells of BO* ! » « Puis-je avoir une autre chambre, celle-là sent le fauve ! »

Cash or charge. Ici, on paye en espèces (*cash*) ou par carte (*charge*). Oubliez le terme « Carte Bleue » ou encore « *Blue Card* ». C'est une expression typiquement française que personne ne comprend. Et si la caissière vous demande « *Debit or credit* », ne cherchez pas à comprendre, répondez *credit*.

Downtown. Par opposition à Uptown. Il y a toujours eu une rivalité entre les deux. Selon certains, Downtown, c'est l'endroit fréquentable de la ville. On en connaît à qui traverser 23rd Street donne des sueurs froides.

E-Z pass. Le nom du boîtier utilisé par les automobilistes (et la plupart des taxis) pour payer les péages. Notez le prix au passage sur la route de l'aéroport car le chauffeur vous le facturera.

Free refill. Un truc typiquement américain. Dans un *coffee shop*, vous verrez les serveuses, cafetière à la main, vous proposer un *refill*. Dites oui. C'est gratuit. Vous pouvez boire 18 litres de café pour 1,50 $.

POUR LES PINTADES HOT

Quand ça titille, quand ça chatouille et que le corps a ses raisons que la raison ignore, c'est une bonne chose de se trouver à New York. Le parfait endroit pour être friponne et libertine. Une ville désinhibée qui offre aux épicuriennes l'occasion de jouir de toutes les façons qu'elles souhaitent. Pour un orgasme *made in New York*, en effeuillant toutes les saveurs de l'érotisme, voici un assortiment d'endroits à fréquenter en cas de désirs avoués, ou non.

Jouets sexuels, vibromasseurs et godemichés : **Babeland** (43 Mercer St., entre Broome et Grand St. ☎ 212 966 2120 🖰 www.babeland.com), le sex-shop des filles. Les vendeuses sont calées sur le sujet. Elles vous expliqueront comment vous servir de vos nouvelles acquisitions, comment les entretenir, les laver, etc. Le transfuge britannique Myla (sex-shop de luxe) et les jouets esthético-érotiques de Nathalie Rykiel, la fille de Sonya (vendus chez Bendel) sont les dernières folies dont on parle. Franchement, ça ne nous a pas donné des frissons. On préfère le pragmatisme droit au but de Babeland.

Tenues sado-maso, cuir et latex : **DeMask** (144 Orchard St., entre Rivington St. et Stanton St.. ☎ 212 466 0814 🖰 www.demask.com), une belle boutique SM qui offre une gamme de vêtements de grande qualité aux coupes sculpturales. Rayon fétichiste impressionnant. Le magasin propose aussi toute une ligne d'objets de torture, dont certains laissent totalement perplexes.

Donjon : le donjon *upscale* de la ville, c'est **Pandora's Box** (250 W 26th St., entre 7th et 8th Ave. ☎ 212 242 4577). Tenu par Mistress Raven, l'endroit respire le raffinement. Ici, on martyrise et on torture avec style. La salle de gynéco ferait pâlir d'envie le meilleur obstétricien de la ville, et on verrait bien la salle de supplices chinois présentée dans les pages de *Elle Déco*. Et si vous êtes plus sado que maso, vous n'avez qu'à proposer vos services. On a cru comprendre que Mistress Raven était toujours à la recherche de nouveaux talents.

Soirées échangistes : **One leg up** (🖰 www.onelegupnyc.com) est, paraît-il, l'endroit où aller pour échanger ses opinions et plus avec des inconnus. Avant de pouvoir s'inscrire, il faut faire acte de candidature auprès de Palagia, la sensuelle organisatrice de ces soirées érotiques, qui se charge du casting. Comptez une centaine de participants à chacune de ses orgies, *ooops*, non, non, non, Palagia est bien trop *classy* pour organiser de vulgaires orgies, elle organise des *« erotic parties »*.

Gratuity. Un faux ami comme on en fait rarement. Ça ne veut pas dire gratuité, mais pourboire. On dit aussi *tip* et les New-Yorkais sont généreux (entre 15 et 20 pour cent).

Happy Holiday. Comme les États-Unis sont un pays *PC, Politically Correct*, on ne dit pas Joyeux Noël. Ça risquerait de froisser la sensibilité des non chrétiens. Comme c'est aussi l'époque de Hanoukka et de Kwanza (fête non religieuse célébrée par les *African-Americans*), un *Happy Holiday* générique est bienvenu.

Inbound. Désigne le sens dans lequel circule le métro. Les trains entrant dans Manhattan sont des *inbound trains.* « *This is an inbound train. The next stop is Time Square.* » Dans l'autre sens, on dit *outbound.*

Junk. Signifie « de mauvaise qualité ». S'emploie pour les emails non désirés, la malbouffe (*junk food*), les mauvais *boy friends*, etc.

King size. Un grand classique des États-Unis. Signifie « taille géante ». Si vous commandez du coca et des frites *king size*, vous finirez par porter des pantalons *king size*. Et ça, c'est pas une bonne idée !

Limo. Diminutif de limousine. Oui, bien sûr, il y a les longues limousines *stretch* mais une *limo* est aussi une voiture normale avec chauffeur. On vous recommande d'en réserver une pour aller à l'aéroport. C'est pratique et c'est moins cher que le taxi. Deux agences au choix : Carmel ☎ 212 666 6666 et Dial 7 Car & Limo Service ☎ 212 777 7777.

Messengers. Ce sont les coursiers. Ici, ils ne sont pas en scooter, mais à vélo. Du coup, ils sont super musclés et souvent assez sexy.

Next on line ! Peut se traduire par « Au suivant ! ». Façon d'appeler le client dont c'est le tour dans la file d'attente à la poste ou pour un *take-out. By the way*, à New York, pour demander à une personne si elle est en train de faire la queue, on dit « *Are you on line ?* » et non pas, comme le voudrait une syntaxe anglaise impeccable, « *Are you in line ?* », et encore moins « *Are you in the queue ?* ».

Open a tab. Quand on passe une première commande dans un bar, on doit souvent donner sa Carte Bleue au serveur « *to open a tab* ». Ça veut dire que le serveur garde votre carte (en otage) et vous ouvre un compte. Votre carte ne vous sera restituée qu'au moment de payer l'addition.

Psychic. Un peu partout dans la ville, vous pouvez vous faire tirer

OÙ TROUVER LES INFOS QUI NE SONT PAS DANS CE GUIDE

Non, nous ne vous avons pas tout dit. On a essayé, mais notre éditeur nous a expliqué qu'un guide touristique en 18 volumes n'était pas vraiment une bonne idée. Alors pour toutes les infos qui ne sont pas dans ce guide, voilà où les trouver :

Le **New York Times**, en particulier l'édition du vendredi (supplément *Arts and Leisure*), est une mine d'infos sur les activités culturelles de la ville.

Le magazine **New York** regorge aussi d'infos culturelles. Il liste également les nouveaux restaurants, les soldes, les bons plans, etc.

Time Out New York est l'équivalent de notre *Pariscope* (en 100 fois mieux) ou plutôt de peu *Zurban*. Vous y trouverez les programmes des cinés, théâtres, musées, galeries, etc. et aussi des articles très intéressants sur la ville.

Pour une liste exhaustive des restaurants, consultez le guide ***Zagat***.

Si vous voulez des billets de dernière minute pour un Broadway Show, au lieu de faire la queue à Time Square, allez à South Street Sea Port, au guichet **TKTS** (199 Water St., angle Front et John St.).

Si vous êtes en panne d'inspiration pour occuper les loulous, si vous êtes à la recherche d'un stage de karaté ou de tennis, d'un *playground*, d'une activité en intérieur, d'un coiffeur ou d'un restaurant *kid-friendly*, consultez le website :
http:/gocitykids.parentsconnect.com/?area=197

On aime aussi **www.SpaAddicts.com** pour les offres promotionnelles dans les spas de la ville.

Chapitre

les cartes ou lire les lignes de la main par des *psychics*, des voyantes. C'est la spiritualité *New York style*.

Queer. Jadis insulte homophobe, cet adjectif, qui signifie littéralement « étrange, bizarre », est de plus en plus *mainstream. Grosso modo*, qualifie toute orientation sexuelle qui n'est pas hétéro. Mais attention quand même si vous l'employez, ça peut être mal pris.

Regular coffee. Pour ne pas passer pour un touriste, sachez une bonne fois pour toutes qu'un *regular coffee* n'est pas un café noir, mais un café au lait (avec deux sucres).

Subway. Moyen de transport new-yorkais très pratique (roule 24h/24) et sûr. Nécessite toutefois une petite période d'adaptation. Même quand on croit maîtriser le système des trains *local* (ils s'arrêtent partout) et *express* (ils ne s'arrêtent qu'aux stations importantes), on se rend compte que rien ne fonctionne comme ça devrait le week-end et le soir. Après plusieurs années de pratique, nous avons renoncé à comprendre.

Tap water. C'est l'eau du robinet. Malgré son aspect parfois jaunâtre, voire brunâtre, quand on fait couler un bain, elle est toute à fait potable (et même enrichie en fluor). Ne pas hésiter à en boire dans les restaurants (qui sont tous équipés de filtres), ça vous évitera de payer une fortune pour une San Pellegrino ou toute autre bouteille d'eau minérale.

Uptown. *Oh-oh, oh-oh, uptown girl...* Billy Joel, ça vous dit quelque chose ? *Uptown* définit la partie de Manhattan au nord de 59th Street.

Vibe. S'utilise pour décrire avec enthousiasme une ambiance agréable. *This place has such a cool vibe!*

Way. S'emploie abusivement comme un adverbe à la place de *very* ou de *extreme*. « *It's waaaay too expensive !* » « C'est extrêmement cher. » Ou alors « *Waaay back !* » « Il y a très très longtemps ! »

Xing. Abréviation de *Crossing* que l'on peut voir écrite sur le bitume. Signifie « traverser ». Pendant longtemps, notre copine Mona a cru que c'était une signalétique en mandarin destinée aux Chinois.

Yellow pages. L'équivalent de nos Pages jaunes. Pour obtenir le service des renseignements téléphoniques, il faut composer le 411.

Zip Code. Code postal. 10021 (Upper East Side) est l'un des *zip codes* les plus huppés des États-Unis.

Notes : Les autres bons plans

L'index

Trouver une adresse dans ce guide

Le nid

(établissements classés par quartiers)

Upper East Side

Adresses multiples

La becquée

(établissements classés par type de cuisine)

Africain

Américain

Américain inventif

Asiatique

Boulangerie/pâtisserie

Brasserie

Chinois

Coffee Shop

Deli

Diner

Français

Germanique

Gourmandises

Grec

Health Food

Indien

Italien

Japonais

Marocain/Oriental

Méditerranéen

Mexicain

Poisson/fruits de mer

Salon de thé

Snack

Steak House

Thaï

Turc

Vietnamien

Boutiques gourmandes

(établissements classés par ordre alphabétique)

Bars et clubs

(établissements classés par quartiers)

Lower East Side

Midtown

SoHo

NoHo/NoLIta

West Village

East Village

Chelsea

La poule peinte

(établissements classés par quartiers)

Pintades musclées

(établissements classés par quartiers)

Upper West Side

Harlem

Brooklyn

Adresses multiples

Le plumage

(établissements classés par ordre alphabétique)

Galeries d'art

(galeries classées par ordre alphabétique)

Promenades

(classées par ordre alphabétique)

Services

(classés par ordre alphabétique)

Les pintades online

Retrouvez les pintades sur leur site Internet :

www.lespintades.com

Les bons plans pour découvrir New York tout en suivant l'actualité de la ville, la présentation du livre et mille autres choses pour les pintades new-yorkaises… et d'ailleurs !

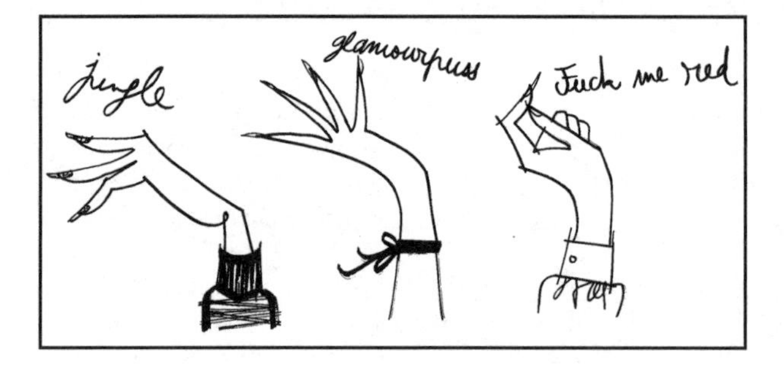

ISBN 978-2-84724-261-4

Achevé d'imprimer en février 2010
sur les presses de Corlet Imprimeur
14110 Condé-sur-Noireau
Dépôt légal : février 2010
N° d'imprimeur : 126593
Imprimé en France